art spiegelman

BONS BAISERS DE NEW YORK

Flammarion

art spiegelman

BONS
BAISERS
DE NEW
YORK

Précédé de *L'Art de l'inquiétude*
par Paul Auster

Traduit de l'anglais (États-Unis)
par Philippe Mikriammos

COUVERTURES ET DESSINS POUR LE MAGAZINE AMÉRICAIN LE PLUS DISTINGUÉ PAR LE PLUS DÉRANGEANT DES ARTISTES AMÉRICAINS

Flammarion

À FAZOO, TOUTE UNE VIE DE BAISERS DU JUIF QUE VOICI

Je remercie tout particulièrement Tina Brown et David Remnick, qui ont permis que toutes ces images existent !

Ce livre n'eût pas été sans l'infaillible compétence, les gestes de gentillesse, et, au-delà de tout ce que je pouvais espérer, l'amitié et l'aide de

Greg Captain et du service iconographique du *New Yorker*,

de Janice Yu, Barbara Kopeloff et Isaac Ramos,

Un baiser sur chaque joue de mon agent, Deborah Karl et des *baci* à Natalia Indrimi, qui gère mon œuvre picturale.

Version française :
PAO : Béatrice Delas
planches : Florence Lautié

Pour la traduction française :
© Éditions Flammarion, 2003.

ISBN : 2-08-068561-9

L'ART DE L'INQUIÉTUDE
Par Paul Auster

Art Spiegelman est une quadruple menace, unique en son genre : c'est un artiste qui dessine et peint, un caméléon qui peut parodier et embellir tous les styles picturaux, un écrivain qui s'exprime avec des phrases vivantes et acérées, et un provocateur qui a un don pour l'humour le plus sauvage et le plus ravageur. Mêlez tous ces talents, mettez-les au service d'une profonde conscience politique, et vous aurez un homme capable de marquer fortement le monde. C'est précisément ce que, pendant dix ans, Art Spiegelman a fait au *New Yorker*.

D'Art Spiegelman, on connaît surtout les deux volumes de *Maus*, le brillant récit du cauchemardesque voyage de son père dans les camps, au cours de la Seconde Guerre mondiale. Spiegelman s'y est révélé un maître de la narration. Voilà, sans aucun doute, ce que l'histoire retiendra de lui : l'homme qui a démontré que les bandes dessinées ne sont pas forcément réservées aux enfants, que l'on peut raconter une histoire complexe dans une suite de petits rectangles renfermant des mots et des dessins, et atteindre toute la puissance émotionnelle et intellectuelle de la grande littérature.

Or Spiegelman a une autre facette, qui, après la publication de *Maus*, a pris peu à peu une place prépondérante : celle de la mouche du coche, qui critique la vie sociale et commente les événements de l'actualité. Étant un ami et un admirateur de Spiegelman, il m'a paru singulier que cet aspect de son travail trouve refuge au *New Yorker*.

Ce magazine, né à l'ère du jazz, fait partie du paysage médiatique américain depuis plus de soixante-quinze ans. Sorti chaque semaine des rotatives pendant que le pays connaissait guerres, dépressions et soulèvements violents, il a gardé un ton mêlant raffinement, distance, et autosatisfaction. Au long de toutes ces années, le *New Yorker* a certes publié d'excellents articles, mais, si incisifs et dérangeants qu'ils aient pu être, ils étaient toujours flanqués de publicités pour des produits de luxe et des vacances aux Caraïbes – le tout agrémenté de dessins guillerets sur les petites manies de la classe moyenne. Tel est le style du *New Yorker* : le monde peut bien rouler vers l'enfer, nous comprenons, dès que nous ouvrons les pages de notre hebdomadaire préféré, que l'enfer est pour les autres. Rien n'a changé pour nous – et rien ne changera jamais. Nous avons des manières onctueuses, sereines et urbaines. Pas d'inquiétude.

Mais Spiegelman, lui, entend bien s'inquiéter. C'est sa vocation. La vie l'ayant voué à l'inquiétude, il a pris celle-ci à bras-le-corps, et il bondit à chaque injustice qu'il perçoit dans le monde, écume dûment de rage devant les insanités et les stupidités des hommes de pouvoir, refuse d'accepter sans sourciller. Non sans esprit, il est vrai, et sans jamais se départir de la touche comique qui est sa marque de fabrique. Mais l'autosatisfaction est bien la dernière chose que l'on pourrait reprocher à cet homme. Il est donc bon que le *New Yorker* ait eu la sagesse de l'engager. Et encore mieux que Spiegelman ait apporté un sang neuf à cet indigeste bastion du bon goût.

Art Spiegelman a donné environ soixante-dix œuvres à Tina Brown et à David Remnick, qui se sont succédé à la tête de la rédaction du *New Yorker*. Cela va de dessins et de peintures d'une page (dont une parodie acerbe du film *La vie est belle*, que Spiegelman a détesté) à près de quarante couvertures, en passant par des planches dessinées traitant de divers sujets : le hooliganisme néo-nazi à Rostock ; des hommages à Harvey Kurtzman, Maurice Sendak et Charles Schultz ; une attaque contre George W. Bush et l'élection bidon de 2000 ; la *pop culture* telle qu'elle se reflétait dans le comportement de ses deux enfants. L'extérieur du magazine est son aspect le plus visible, l'emblème de sa philosophie et de son contenu rédactionnel, l'habit sous lequel il se présente au public. Jusqu'à l'arrivée de Spiegelman, le *New Yorker* était célèbre – c'en était même drôle – pour la fadeur de ses couvertures. Alliant la suffisance à la prudence, et confiant dans la loyauté de son vaste public de lecteurs, le *New Yorker* arrivait dans les kiosques paré, semaine après semaine, de paisibles scènes automnales, de paysages enneigés, de pelouses de banlieue et de rues peu passantes – une iconographie tellement banale et insipide qu'elle suscitait une certaine somnolence chez l'acheteur. Jusqu'à ce 15 février 1993, où, coïncidant fortuitement avec la Saint-Valentin, parut la première couverture de Spiegelman. Un nouveau *New Yorker* était né, qui faisait soudain son entrée dans le monde d'aujourd'hui.

À cette époque, la ville ne coulait pas des jours heureux. Crown Heights, quartier déshérité de Brooklyn, peuplé d'Afro-Américains et de juifs orthodoxes, était au bord de la guerre raciale. Un enfant noir avait été renversé par un juif ; en représailles, un juif avait été assassiné par une foule de Noirs en colère, et, pendant de longs jours, une agitation explosive avait dominé les rues, menaçant de dégénérer en nouvelles violences de part et d'autre. Le maire de l'époque, David Dinkins, était un type bien, mais prudent, à qui manqua l'habileté politique nécessaire pour intervenir rapidement et désamorcer la crise. (Cet échec lui coûta probablement son siège lors de l'élection suivante, laquelle amena le régime dur de Rudolph Giuliani, maire ensuite pendant huit ans). Nonobstant sa diversité ethnique, New York est une ville étonnamment tolérante, où la plupart des gens s'efforcent le plus souvent de vivre en harmonie. Des tensions raciales n'en existent pas moins, qui couvent en silence, et parfois éclatent en des actes de brutalité isolés. Cette fois-là, néanmoins, tout un quartier était en armes, spectacle hideux qui ternissait l'esprit démocratique de New York. C'est à ce moment précis que Spiegelman se fit entendre, qu'il se lança dans la bataille et proposa sa solution au problème : embrassez-vous et réconciliez-vous... Simple, choquant, fort. Un juif orthodoxe et une femme noire étaient dans les bras l'un de l'autre, et, les yeux clos, ils s'embrassaient. Apportant au thème de la Saint-Valentin la touche finale, le fond de la couverture était rouge vif, avec trois petits cœurs aux coins de la ligne ondulée encadrant l'image. Spiegelman ne prenait pas parti. Juif, il ne se proposait pas de défendre la communauté juive de Crown Heights ; n'adhérant à aucune religion, il n'exprimait pas son soutien à la communauté afro-américaine qui partageait le même carré de terre misérable. Il parlait en citoyen de New York, en citoyen du monde, et s'adressait aux deux groupes – c'est-à-dire, à nous tous. Halte à la haine, disait-il ; halte à l'intolérance, à la diabolisation de l'autre. Le message de cette couverture était, sous une forme picturale, du même ordre que l'idée exprimée par le poète W.H. Auden au premier jour de la

Seconde Guerre mondiale : Nous devons nous aimer les uns les autres ou mourir.

Depuis cette remarquable entrée en scène, Spiegelman a continué à nous dérouter, se servant sciemment de son inventivité comme d'une force pour déstabiliser et d'une arme pour surprendre. Il veut nous maintenir dans un équilibre précaire, nous faire baisser la garde, et, à cette fin, il varie à l'infini les angles d'approche et les tonalités : raillerie et fantaisie, indignation et reproche, voire tendresse et éloge affectueux. L'ouvrière qui, mère héroïque, donne le sein à son bébé, perchée sur une poutre dans un gratte-ciel en construction ; les dindes-bombes qui pleuvent sur l'Afghanistan pour Thanksgiving ; la marée de microphones tendus vers le bas-ventre de Bill Clinton ; les diplômes de fin d'études qui se transforment en pages de recherche de petits boulots ; la famille de vieux hippies, symbole de l'amour et de la solidarité entre les générations ; le lapin qui apporte aux enfants américains les œufs de Pâques crucifié sur une déclaration de revenus ; le Père Noël et le rabbin qui ont exactement même barbe et même panse… Ne craignant pas d'aller au-devant de la controverse, Spiegelman a offensé bien des gens, et plusieurs de ses projets de couverture ont été jugés tellement incendiaires par la direction du magazine qu'elle les a refusés. Depuis la couverture de la Saint-Valentin 1993, le travail de Spiegelman a suscité des milliers de lettres indignées, des centaines de résiliations d'abonnements, et, dans un cas très spectaculaire, une grande manifestation de protestation de la police new-yorkaise devant les bureaux du magazine, à Manhattan. C'est le prix à payer pour dire – pour dessiner – ce que l'on pense. Les dix ans où Spiegelman a travaillé pour le *New Yorker*

n'ont pas toujours été de tout repos. Mais sa hardiesse et son courage ont été une source permanente d'encouragement pour ceux qui aiment leur ville et croient en l'idée d'un New York laboratoire central des contradictions humaines de notre temps, ouvert à tous.

Puis survint le 11 septembre 2001. Dans les flammes et la fumée de trois mille corps calcinés, un holocauste s'abattit sur nous. Neuf mois plus tard, la ville pleure toujours ses morts. Dans les heures et les jours qui suivirent ce matin meurtrier, peu d'entre nous furent capables d'aligner deux pensées cohérentes. Le choc était trop grand, et tandis que, dans la fumée en suspens au-dessus de la ville, nous respirions l'odeur abominable de la destruction et de la mort, la plupart d'entre nous allaient du pas traînant du somnambule, hébétés et stupéfaits, bons à rien. Mais le *New Yorker* devait sortir, et, lorsque la rédaction se souvint que quelqu'un devrait en concevoir la couverture – la couverture la plus importante de son histoire, à produire en un temps record –, elle se tourna vers Spiegelman.

La couverture noire sur fond noir du numéro du 24 septembre est, à mon sens, le chef-d'œuvre d'Art Spiegelman. Face à l'horreur absolue, on tend à se dispenser de toute image. Les mots nous manquent souvent dans des moments de pression extrême. Cela vaut aussi pour les images. Si je ne m'embrouille pas dans le récit que Spiegelman m'en fit à l'époque, il commença, je crois, par résister à l'impulsion iconoclaste de proposer une couverture entièrement noire pour représenter le deuil – l'absence d'image comme miroir de l'indicible. Puis d'autres idées lui vinrent. Il fit des essais, mais, un à un, les rejeta, poussant lentement sa réflexion vers des teintes de plus en plus sombres, jusqu'à arriver, inévitablement, à un noir profond, sans modulations. Mais ce n'était pas encore assez. Cela lui semblait trop tempéré, un peu trop facile, trop résigné. Faute d'autre solution, il faillit capituler. C'est alors que, sur le point de renoncer, il pensa à certains artistes qui, par le passé, avaient exploré les implications de l'élimination de la couleur– en particulier Ad Reinhardt et ses toiles noires sur fond noir des années 1960, ces anti-images minimales et suprêmement abstraites qui poussèrent la peinture aux limites du possible. Spiegelman avait trouvé la bonne direction. Non dans le silence, mais dans le sublime.

Il faut regarder de très près pour arriver à voir les deux tours. Elles sont là sans être là, effacées quoiqu'encore présentes, ombres qui vibrent dans l'oubli, dans la mémoire, émanations fantomatiques de quelque au-delà tourmenté. Lorsque j'ai vu cette image pour la première fois, j'ai eu l'impression que Spiegelman avait posé un stéthoscope sur ma poitrine et qu'il enregistrait méthodiquement chaque battement de mon cœur depuis le 11 septembre. Et mes yeux se sont emplis de larmes. Des larmes pour les morts. Des larmes pour les vivants. Des larmes pour les abomi-nations que nous nous infligeons les uns aux autres, pour la cruauté et la sauvagerie de cette infecte race humaine.

J'ai alors pensé : Nous devons nous aimer les uns les autres ou mourir.

Juin 2002

THE ART OF WORRY
By Paul Auster

Art Spiegelman is a one-of-a-kind quadruple threat. He is an artist who draws and paints; a chameleon who can mimic and embellish upon any visual style he chooses; a writer who expresses himself in vivid, sharply-turned sentences; and a provocateur with a flair for humor in its most savage and piercing incarnations. Mix those talents together, then put them in the service of a deep political conscience, and a man can make a considerable mark on the world. Which is precisely what Art Spiegelman has done for the past ten years at *The New Yorker*.

We know him best as the author of Maus, the brilliant two-volume narrative of his father's nightmare journey through the camps in the Second World War. Spiegelman showed himself to be an expert storyteller in that work, and no doubt that is how history will remember him: as the man who proved that comic books are not necessarily for children, that a complex tale can be told in a series of small rectangles filled with words and pictures -- and attain the full emotional and intellectual power of great literature.

But there is another side to Spiegelman as well, one which has increasingly come to dominate his energies in the post-Maus years: the artist as social gadfly and critic, as commentator on current events. As Spiegelman's friend and admirer, I have always found it odd that he should have found a home for that aspect of his work at *The New Yorker*. The magazine was born in the Jazz Age and has been a fixture on the American scene for more than seventy-five years, rolling off the presses every week as the country has lived through wars, depressions, and violent upheavals, steadfastly maintaining a tone that is at once cool, sophisticated, and complacent. *The New Yorker* has published some excellent journalism over the years, but incisive and disturbing as many of those reports have been, the pages on which they appear have always been flanked by advertisements for luxury goods and Caribbean vacations, adorned with blithely amusing cartoons about the foibles of middle-class life. That is *The New Yorker* style. The world might be going to hell, but once we open the pages of our favorite weekly, we understand that hell is for other people. Nothing has changed for us -- and nothing ever will. We are suave, tranquil, and urbane. Not to worry.

But Spiegelman wants to worry. That is his job. He has embraced worry as his life's calling, and he frets over every injustice he perceives in the world, froths diligently at the follies and stupidities of men in power, refuses to take things in his stride. Not without wit, of course, and not without his trademark comic touch -- but still, the last thing anyone could call this man is complacent. Good for *The New Yorker*, then, for having had the wisdom to put him on its payroll. And good for Spiegelman for having reinvigorated the spirit of that stodgy bastion of good taste.

Contributing both to the inside and the outside of the magazine, he has produced approximately seventy works for *The New Yorker*, toiling under the reigns of two chief editors, Tina Brown and David Remnick. These works include single-page drawings and paintings (among them a bitter send up of Life is Beautiful, a film that Spiegelman abhorred), extended articles on a variety of subjects presented in comic-book form (neo-Nazi hooliganism in Rostock, Germany; homages to Harvey Kurtzman, Maurice Sendak, and Charles Schultz; an attack on George W. Bush and the bogus elections of 2000; observations on pop culture as reflected in the behavior of his own children), and close to forty covers. The outside of the magazine is its most visible feature, the signature mark of its philosophy and editorial content, the dress it wears when it goes out in public. Until Spiegelman came along, *The New Yorker* had been famous -- even hilariously famous -- for the blandness of its cover art. Smug and subdued, confident in the loyalty of its wide readership, issue after issue would turn up on the newsstands sporting sedate autumn scenes, snowy winter landscapes, suburban lawns, and depopulated city streets -- imagery so trite and insipid as to induce drowsiness in the eye of the beholder. Then, on February 15, 1993, for an issue that fortuitously coincided with Valentine's Day, Spiegelman's first cover appeared, and *The New Yorker* exploded into a new New Yorker, a magazine that suddenly found itself part of the contemporary world.

It was a bad time for the city. Crown Heights, an impoverished neighborhood in Brooklyn inhabited by African-Americans and Orthodox Jews, was on the brink of a racial war. A black child had been run over by a Jew, a Jew had been murdered in retaliation by an angry mob of blacks, and for many days running a fierce agitation dominated the streets, with threats of further violence from both camps. The mayor at the time, David Dinkins, was a decent man, but he was also a cautious man, and he lacked the political skill needed to step in quickly and defuse the crisis. (That failure probably cost him victory in the next election -- which led to the harsh regime of Rudolph Giuliani, who served as mayor for the next eight years.) New York, for all its ethic diversity, is a surprisingly tolerant city, and most people make an effort most of the time to get along with one another. But racial tensions exist, often smoldering in silence, occasionally erupting in isolated acts of brutality -- but here was an entire neighborhood up in arms, and it was an ugly thing to witness, a stain on the democratic spirit of New York. That was when Spiegelman was heard from, the precise moment when he walked into the battle and offered his solution to the problem. Kiss and make up. His statement was that simple, that shocking, that powerful. An Orthodox Jew had his arms around a black woman, the black woman had her arms around the Orthodox Jew, their eyes were closed, and they were kissing. To round out the Valentine's Day theme, the background of the picture was solid red, and three little hearts floated within the squiggly border that framed the image. Spiegelman wasn't taking sides. As a Jew, he wasn't proposing to defend the Jewish community of Crown Heights; as a practitioner of no religion, he wasn't voicing his support of the African-American community that shared that same miserable patch of ground. He was speaking as a citizen of New York, as a citizen of the world, and he was addressing both groups at the same time -- which is to say, he was addressing all of us. No more hate, he said, no more intolerance, no more demonizing of the other. In pictorial form, the cover's message was identical to an idea expressed by W.H. Auden on the first day of World War II: We must love one another or die.

Since that remarkable debut, Spiegelman has continued to confound our expectations, consciously using his inventiveness as a destabilizing force, a weapon of surprise. He wants to keep us off balance, to catch us with our guard down, and to that end he approaches his subject from numerous angles and with countless shadings of tone: mockery and whimsy, outrage and rebuke, even tenderness and laudatory affection. The heroic construction-worker mother breast-feeding her baby on the girder of a half-finished skyscraper; turkey-bombs falling on Afghanistan; Bill Clinton's groin surrounded by a sea of microphones; college diplomas that turn out to be help-wanted ads; the weirdo hipster family as emblem of cross-generational love and solidarity; the crucified Easter bunny impaled on an IRS tax form; the Santa Claus and the rabbi with identical beards and bellies.

Unafraid to court controversy, Spiegelman has offended many people over the years, and several of the covers he has prepared for *The New Yorker* have been deemed so incendiary by the editorial powers of the magazine that they have refused to run them. Beginning with the Valentine's Day cover of 1993, Spiegelman's work has inspired thousands of indignant letters, hundreds of cancelled subscriptions and, in one very dramatic instance, a full-scale protest demonstration by members of the New York City Police Department in front of *The New Yorker* offices in Manhattan. That is the price one pays for speaking one's mind -- for drawing one's mind. Spiegelman's tenure at *The New Yorker* has not always been an easy one, but his boldness and courage have been a steady source of encouragement to those of use who love our city and believe in the idea of New York as a place for everyone, as the central laboratory of human contradictions in our time.

Then came September 11, 2001. In the fire and smoke of three thousand incinerated bodies, a holocaust was visited upon us, and nine months later the city is still grieving over its dead. In the immediate aftermath of the attack, in the hours and days that followed that murderous morning, few of us were capable of thinking any coherent thoughts. The shock was too great, and as the smoke continued to hover over the city and we breathed in the vile smells of death and destruction, most of us shuffled around like sleepwalkers, numb and dazed, not good for anything. But *The New Yorker* had an issue to put out, and when they realized that someone would have to design a cover -- the most important cover in their history, which would have to be produced in record time -- they turned to Spiegelman.

That black-on-black issue of September twenty-fourth is, in my opinion, Spiegelman's masterpiece. In the face of absolute horror, one's inclination is to dispense with images altogether. Words often fail us at moments of extreme duress. The same is true of pictures. If I have not garbled the story Spiegelman told me during those days, I believe he originally resisted that iconoclastic impulse: to hand in a solid black cover to represent mourning, an absent image to stand as a mirror of the ineffable. Other ideas occurred to him. He tested them out, but one by one he rejected them, slowly pushing his mind toward darker and darker hues until, inevitably, he arrived at a deep, unmodulated black. But still that wasn't enough. He found it too mute, too facile, too resigned, but for want of any other solution, he almost capitulated. Then, just as he was about to give up, he began thinking about some of the artists who had come before him, artists who had explored the implications of eliminating color from their paintings -- in particular Ad Reinhardt and his black-on-black canvases from the sixties, those supremely abstract and minimal anti-images that had taken painting to the farther edge of possibility. Spiegelman had found his direction. Not in silence -- but in the sublime.

You have to look very closely at the picture before you notice the towers. They are there and not there, effaced and yet still present, shadows pulsing in oblivion, in memory, in the ghostly emanation of some tormented afterlife. When I saw the picture for the first time, I felt as if Spiegelman had placed a stethoscope on my chest and methodically registered every heartbeat that had shaken my body since September eleventh. Then my eyes filled up with tears. Tears for the dead. Tears for the living. Tears for the abominations we inflict on one another, for the cruelty and savagery of the whole stinking human race. Then I thought: We must love one another or die.

June 2002

BIENVENUE DANS LA BAGARRE

Au grand dam de la secte de ses fidèles lecteurs, j'ai fait partie de 1993 à 2002, comme dessinateur, journaliste, et comme consultant éditorial pendant les trois premières années, du New Yorker, le plus distingué des magazines américains. Quelques mois après mon engagement, mon épouse, Françoise Mouly – avec qui j'ai fait deux enfants, Nadja et Dashiell, et une revue de B.D. d'avant-garde, Raw –, a été engagée comme directrice artistique. Elle continue, avec brio et efficacité, à être responsable des couvertures du New Yorker, ayant réussi le passage de la presse alternative au céleste pinacle de la grande presse. Dans mon cas, les dix années qui viennent de s'écouler ont eu tout d'une inconfortable, quoique fructueuse, expérience de laboratoire en folie, d'une tentative de greffe de mes molécules radioactives sur l'ADN depuis longtemps établi de ce magazine.

TNY: SURVOL HISTORIQUE

Le *New Yorker* a toujours été "classe". Étalage à la mode de l'élégance, du raffinement, de l'épate. "Classe" aussi dans le vieux sens marxiste moisi. Les quelque cinq cent mille lecteurs dont la publication disposait sans forcer à sa grande époque, après guerre, se composaient de cette espèce aujourd'hui tristement menacée : la classe moyenne qui a fait des études supérieures, qui se donne du mal pour monter dans l'échelle sociale et qui vit dans une touchante angoisse. Ces lecteurs avaient une véritable vénération pour le *New Yorker* (en retour, ils étaient tellement vénérés par les annonceurs que les responsables de la publicité du magazine repoussaient, hautains, les produits et les annonces les plus vulgaires. Les choses changent). Aujourd'hui encore, et en dépit de mes dix ans d'efforts, les lecteurs continuent à lui porter le respect qu'un chat abandonné vouerait à un ouvre-boîtes s'il tombait par hasard dessus en pleine campagne.

Ci-dessus : en-tête de la partie "les critiques" du New Yorker. Février 2001.

*C*réé en 1925, le *New Yorker* était une publication de la Prohibition, destinée à l'intelligentsia, et qui tenait lieu de compte rendu officiel des déjeuners arrosés d'un club de farceurs et de petits malins tels que Robert Benchley, Dorothy Parker et Alexander Woollcott, esprits brillants de l'hôtel Algonquin qui, en se faisant de la promotion les uns aux autres, occupèrent le devant de la scène culturelle. Son fondateur, Harold Ross, un bourreau de travail qui avait laissé tomber le lycée, eut cette formule célèbre pour définir son magazine : "Pas conçu pour la vieille dame du fin fond de l'Iowa." Le directeur artistique, le dessinateur humoristique Rea Irvin, donna le ton des couvertures courtoises et stylées du magazine avec la première de celles-ci, le dessin ironique d'un "papillon" de la société victorienne, hédoniste ignare et dédaigneux, qui, à travers son monocle, observe un… papillon. Baptisé Eustace Tilley, ce snob orne, depuis, la plupart des numéros anniversaires, quoique, au fil des ans, l'ironie, comme il advient souvent, se soit perdue.

La typographie choisie par Rea Irvin pour le logo du magazine et la "bande" verticale qu'il plaça le long de la tranche de celui-ci n'ont quasiment pas changé depuis cette première couverture, et le fait que ces éléments aient mis en valeur les illustrations parfois insipides, y compris les miennes, qui se sont succédé pendant des décennies, témoigne du sens graphique d'Irvin. Les premières couvertures, dans le style Art moderne et estampes japonaises, montraient des citadins sophistiqués en haut-de-forme, prenant du bon temps dans la métropole, leur terrain de jeu. À ces images fondamentalement décoratives s'ajoutèrent bientôt des dessins humoristiques et anecdotiques, scènes gentillettes d'une lutte des classes sans gravité ni effusion de sang. Telle cette couverture de 1931, où Peter Arno montre un clochard débraillé qui, désinvolte, allume un cigare à deux sous avec l'allume-cigares d'une limousine en stationnement. Ou la couverture dessinée par William Steig en 1935, à l'apogée de la grande dépression, où un couple d'âge moyen, corpulent et prospère, est enlacé sur un divan, l'imposante épouse étreignant, reconnaissante, un collier de perles qu'elle vient de sortir de son emballage. (Les personnages de Steig, merveilleusement expressifs avec leurs bourrelets Lumpen, suscitent une chaleur et une sympathie bien éloignées des acides caricatures weimariennes de George Grosz à la même époque, par exemple.)

Autre couverture (1941), pleine d'une grâce typique : la peinture de Constantin Alajalov montrant un garçon de courses perplexe, un agent de police de quartier et un concierge, contemplant d'un œil vague une toile de Picasso et autres objets hautement modernes que l'on charge dans un camion de déménagement. Le magazine avait quelque peu dessoûlé depuis sa naissance dans le gin trafiqué. Ce camion déménageait la rédaction d'un appartement-terrasse de Manhattan à une banlieue cossue plus portée sur le Martini. L'équipe et l'humeur du *New Yorker* étaient de plus en plus gagnées par l'esprit des faubourgs.

William Shawn, qui abandonna lui aussi ses études et commença à travailler pour Harold Ross en 1933, influa de plus en plus, au fil des années, sur les orientations suivies par la rédaction, et ce mandarin réservé monta sur le trône en 1952, à la mort du revêche Ross. Shawn se fit le champion d'une prose joliment ciselée – J. D. Salinger et John Updike, par exemple –, et donna plus de place et d'importance aux reportages de qualité. Mais il orienta le style des couvertures vers un bon ton incroyablement bienséant. Ainsi, le numéro du 31 août 1946, entièrement consacré à l'enquête de John Hersey sur Hiroshima, témoigne de la foi de Shawn dans le pouvoir du journalisme sérieux, mais illustre aussi sa méfiance envers la puissance du crayon. Pour souligner la gravité de la prose de Hersey, il bannit tout dessin du numéro (mesure draconienne, prise une seule autre fois, après le 11 septembre, par l'actuel rédacteur en chef, qui peut se montrer presque aussi méfiant que Shawn envers les images puissantes), tandis que la couverture de Charles E. Martin montrait, dans un style faux naïf, décoratif et convenable, un paysage campagnard vu du ciel, où s'ébattaient joyeusement des vacanciers. Shawn souhaitait que ses couvertures apportent un répit rassurant dans le tumulte des étalages de journaux, et, en dehors de quelques illustrateurs rescapés de l'époque Ross et des dessins transcendants de Saul Steinberg, le style des couvertures tendit de plus en plus vers la mollesse de scènes de saison, de panoramas urbains et de natures mort-nées, reformulations sous-modernistes de Picasso, de Matisse et de Klee. Le papier peint parfait pour la vieille dame du fin fond de l'Iowa.

Le magazine ruisselait d'intelligence, donc, mais, quoiqu'il ait publié les essais de Hannah Arendt sur Adolf Eichmann et la "banalité du mal", il n'a jamais été vraiment intellectuel. En 1947, Robert Warshow, rédacteur en chef de *Commentary*, magazine qui a autrefois été authentiquement intellectuel, lui, épingla implacablement la nature profonde du *New Yorker* :

Le *New Yorker* dans ce qu'il a de meilleur fournit à l'individu intelligent et cultivé sorti de l'université l'attitude la plus confortable et la moins compromettante qu'il puisse adopter vis-à-vis de la société capitaliste sans être obligé d'entrer vraiment en conflit avec elle… Le *New Yorker* a toujours traité l'expérience vécue non en essayant de la comprendre, mais en prescrivant l'attitude à avoir envers elle. Cela permet de se sentir intelligent sans avoir à penser ; c'est une façon de tout rendre supportable.

Je ne me suis pas livré, comme Warshow le fit, à des réflexions approfondies sur le *New Yorker*. J'ai grandi pendant les années Shawn dans le Queens de

la petite classe moyenne, à mille lieues des belles demeures du Connecticut qui figuraient en couverture. Mes parents, réfugiés juifs à peine assimilés, lisaient surtout *Life*, l'omniprésent hebdomadaire illustré, et ni mon père ni ma mère n'auraient songé à décrire Adolf Eichmann comme banal.

Je savais que le *New Yorker* était un important temple du goût et du raffinement (j'admirais, certes, les dessins de monstres de Charles Addams, sur lesquels il m'arrivait de tomber dans la salle d'attente d'un médecin). Mais c'est *Mad* qui forma mon goût. Je m'identifiais à Alfred E. Neuman, le jeune idiot qui grimaçait sur la couverture, et, empli de ressentiment, je pensais qu'Eustace Tilley – ce gommeux ! – me toisait avec mépris à travers son monocle.

Depuis, mes goûts se sont élargis, mais je me demande toujours comment un rustre de mon espèce a pu être convié à entrer au luxueux club du *New Yorker*.

Le *NY* et moi : Collision en plein vol

Depuis le jour où, encore petit, je me suis aperçu que les dessins humoristiques n'étaient pas de simples phénomènes naturels comme les fleurs et les rochers – c'étaient des êtres humains qui les dessinaient ! –, j'ai voulu devenir un de ceux qui les faisaient. Puis, en 1955, j'ai vu une petite anthologie *Mad* en livre de poche qui m'a profondément marqué. Un petit carré de la couverture s'est imprimé dans mon cerveau d'enfant de sept ans et a influencé une grande part de ce que j'ai fait ensuite. Il s'agissait d'une toute petite reproduction de la couverture du numéro 11 de *Mad* (mai 1954) : le dessin noir et blanc d'une tête de femme d'un grotesque indescriptible collé sur une photo montrant des toits d'immeubles, et portant en guise de légende "La jolie fille du mois". (Voir page 94, dans l'hommage que j'ai rendu en 1993 au créateur de

Mad, Harvey Kurtzman.) Ce qui frappa l'enfant de sept ans, ce n'est pas le procédé moderne du collage d'un dessin sur une photo, ni l'écho du "La beauté sera convulsive ou ne sera pas !" d'André Breton, mais la constatation que la typographie et la conception de cette couverture de *Mad* parodiaient exactement *Life*, qui était alors, en matière visuelle, la Voix de l'Amérique. Cette image cannibalisait et subvertissait toute l'autorité du monde adulte, jetant le doute sur tout ce que je croyais savoir. C'était purement et simplement dangereux – aussi interdit et émoustillant que la pornographie –, et je me souviens avoir regardé fixement cette image de la taille d'un timbre-poste, bouche bée, cloué sur place. J'avais découvert le pouvoir de l'Art.

À quinze ans, mes ambitions de dessinateur me poussèrent à prendre une première fois contact avec le *New Yorker*, auquel je fis parvenir des dessins humoristiques. Mais comme je ne "pigeais" rien à la plupart des blagues du magazine et que je croyais que c'était là le but recherché, j'envoyai un paquet de dessins agrémentés de légendes sans suite que je ne comprenais pas moi-même. J'eus la déception d'essuyer un refus... À la même époque, je dessinai et publiai brièvement ma propre version amateur de *Mad*, intitulée *Blasé*, imprimée à l'encre mauve et à cinquante exemplaires seulement. Mais cela me valut, trois ans plus tard, un boulot d'été qui devint ensuite mon gagne-pain pendant plus de vingt ans : celui de rédacteur et de dessinateur pour les chewing-gums Topps, où je recrachai les leçons apprises dans *Mad* à une nouvelle génération de mômes impressionnables, sous la forme de Wacky Packages (les "emballages maboules", des autocollants fantaisie qui parodiaient les grandes marques), et, dans les années 1980, de Garbage Pail Kids (les "gamins des poubelles", parodies des poupées Cabbage Patch – "Mon carré de choux" –, qui firent autant scandale dans leur milieu culturel que certaines de mes futures couvertures du *New Yorker* auprès de son public

plus mûr). Topps fut mon mécène involontaire, subventionnant mon travail de B.D. underground d'"avant-garde" dans les années 1960 et 1970, et, en fin de compte, *Maus*, mon récit sous forme de bande dessinée de la survie de mes parents juifs dans l'Europe hitlérienne.

Il me fallut treize ans pour terminer *Maus*. Lorsque le premier volume battit des records de ventes en 1986, ce fut – comme le *New Yorker* de l'ère Shawn ne l'aurait jamais formulé – la merde complète dans ma tête... Malgré l'arrogante certitude que j'avais eu de ma valeur artistique pendant que, encore obscur, je peinais, le concert de louanges qui accueillit ce premier volume – amplifié par le prix Pulitzer décerné au second en 1992 – me fit paniquer. J'avais l'impression que tous ces yeux étaient braqués par-dessus mon épaule, sur ma planche à dessin. Je n'étais pas prêt, psychologiquement, à un tel succès. À tout le moins, il fallait que je revoie mon statut de "marginal" de la B.D. underground. Je n'avais qu'une seule certitude : en dépit d'un déluge d'offres, je ne voulais pas que mon livre devînt un film, et je refusais d'être transformé en je ne sais quel "Elie Wiesel de la bande dessinée". Par conséquent, je fus flatté et me montrais très ouvert à la proposition de me réinventer que me fit un *New Yorker* qui essayait lui-même de se réinventer.

Car figurez-vous que c'était aussi la merde complète au *New Yorker* de Shawn... En 1985, les hommes d'affaires de Fleischmann Yeast, qui avaient financé le magazine depuis ses débuts, en avaient vendu le fonds à S.I. Newhouse's Advance Publications. Après avoir promis de ne pas toucher à l'identité du magazine, Newhouse ne tarda pas à pousser William Shawn vers la retraite, le remplaçant par Robert Gottlieb, directeur des éditions Knopf (autre avant-poste de l'empire Newhouse à l'époque). L'équipe du *New Yorker* s'affola devant ce changement de régime. Gottlieb fut toutefois un gardien avisé de l'héritage Shawn, même si, en 1987, il me convia, après avoir lu le premier volume de *Maus,* à travailler pour l'auguste publication. Lorsqu'il apprit que je me débattais avec le second et que je travaillais trop lentement pour accepter quoi que ce soit d'autre, il haussa les épaules et répliqua : "Entendu. Le *New Yorker* aussi travaille lentement..." À bon entendeur...

En 1992, cherchant à gagner en visibilité et à rajeunir un lectorat vieillissant, Newhouse remplaça Robert Gottlieb par Tina Brown, rédactrice en chef vedette qu'il avait fait venir d'Angleterre huit ans plus tôt pour reprendre en main le mensuel *Vanity Fair* après son lamentable relancement. Le goût

prononcé de Tina Brown pour les potins, les grands noms et les grosses fortunes, lui avait permis de transformer la vilaine guimbarde des années 1930 qu'était *Vanity Fair* en une rutilante voiture de luxe. Un tel choix parut démentiel aux loyaux lecteurs et rédacteurs du sage et respectable *New Yorker.* Tina Brown n'aborda pas ses nouvelles fonctions avec beaucoup de respect pour les traditions de celui-ci, mais son appétit pour ce qui était mode et éphémère – *in* et *hype,* pour résumer le personnage – eut sur l'hebdomadaire confit dans l'auto-satisfaction l'effet galvanisant des électrochocs. Tina Brown afficha ses intentions dès son arrivée en octobre 1992 avec une première couverture signée Ed Sorel, un illustrateur dont le style élégant aurait dû lui ouvrir depuis longtemps les portes du magazine. L'illustration montrait un jeune punk coiffé à l'iroquoise, insolemment affalé dans un buggy

tiré par un cheval à travers Central Park. Je me reconnaissais totalement dans cet insolent.

Sans savoir que Gottlieb m'avait déjà fait des propositions dans ce sens, Tina me signa un contrat de dessinateur et de consultant éditorial, et me proposa de m'essayer à quelques couvertures. Ce que je pensais de son *Vanity Fair* se résumait à une photo de couverture très "glamour" où le Président Reagan et sa femme Nancy prenaient en dansant une pose qui les faisait étrangement ressembler à Fred Astaire et à Ginger Rogers. Les Reagan étant à mes yeux de dangereux criminels, l'insulte faite à Fred et à Ginger m'avait fortement indisposé. Je pensais avoir aussi peu de choses en commun avec Tina Brown qu'avec le *New Yorker.* Mais finalement, Tina et moi partagions au moins une même absence de vénération pour le côté vieux jeu du magazine, et nous savions tous les deux qu'une bonne couverture peut frapper un grand coup. L'invitation venait donc au bon moment et elle était irrésistible. En ces temps d'agonie de l'ère du papier imprimé, le *New Yorker* est, mis à part les magazines de bandes dessinées, la seule publication américaine d'envergure nationale qui recourt encore, pour ses couvertures, à des dessins – des œuvres spécifiques qui ne soient pas de simples "illustrations" d'un article en pages intérieures. Tandis que, dans ma tête, dansaient les images de cette couverture de *Mad* qui m'avait si fortement marqué, je m'avançai, impatient, sur la piste de danse au bras de la nouvelle Mad Queen du *New Yorker*...

Ci-dessus : autoportrait publié dans le *New Yorker,* 06/01/1992, à l'occasion de l'exposition consacrée à *Maus* par le Museum of Modern Art.

LE PREMIER BAISER... ET TOUT CE QUI S'ENSUIVIT

Le besoin qu'avait Tina d'attirer l'attention sur son *New Yorker* nouvelle formule convergea avec ma prédisposition à l'iconoclasme dans une sorte de "folie à deux" qui apporta un nouveau souffle, la "provocation visuelle de circonstance", aux couvertures du magazine, jusque-là doux mélange de fantaisie et de modernisme pastoral. Je voulais trouver un dessin qui fasse voler en éclats le sang-froid d'Eustace Tilley et son monocle. Les couvertures à thème saisonnier ou commémoratif étant une des traditions du magazine, la Saint-Valentin, fête sentimentale pimentée d'un soupçon de sexualité, offrait la promesse d'une image explosive.

Les couvertures du *New Yorker* (excepté le célèbre profil de Tilley, republié une fois l'an) montraient presque toujours les choses à distance : personnages en pied, scènes de foules et vues d'ensemble prédominaient là où tous les autres journaux faisaient plutôt dans le portrait grandeur nature de célébrités. Je pensai donc d'abord – mêlant vainement des symboles, à la manière d'un chimiste fou, pour voir ce qui pouvait se révéler explosif – à un gros plan ou à des personnages tout à fait inattendus en train d'embrasser Tilley. Mais quand, enfin, je griffonnai un Tilley en juif hassidique serrant dans ses bras une femme noire, je me dis – moments trop rares – : "Eurêka !" J'avais trouvé : une image attirante et séduisante, quoique transgressive et dérangeante ! Les rancœurs qui couvaient entre les communautés noire et juive de New York

avaient débouché en 1991, à Crown Heights, un quartier de Brooklyn, sur l'émeute raciale et le meurtre. Juif ayant grandi à une époque où Noirs et juifs étaient encore unis par une sorte d'alliance, j'avais été peiné par ces événements. Toute la ville était encore ébranlée par un drame qui mettait en danger son plus grand trésor : la concorde entre diverses cultures vivant côte à côte.

Je remis ma couverture à Tina début décembre 1992. Elle l'accepta immédiatement, mais la cacha pendant un mois au fond d'un tiroir afin d'éviter une mutinerie de l'équipe. Certains se sentaient déjà menacés par les mesures qu'elle avait prises pour rajeunir l'image : ajout d'un sommaire, d'une ligne indiquant le nom de l'auteur en tête d'article, de photographies. Et maintenant, ÇA ?... À l'approche de la Saint-Valentin, l'équipe commença à discuter avec fougue de ma couverture. J'eus l'impression d'être ligoté sur des montagnes russes : mon projet était massacré un jour, ressuscité le lendemain. On fit préparer une couverture de rechange, moins risquée. Puis arriva l'après-midi où le numéro devait être imprimé. Je pensais que tout allait bien, lorsque je reçus un coup de téléphone d'un collègue et ami qui me demanda si je serais vraiment vexé que ma couverture passe à la trappe. Je lui répondis que je rendrais probablement mon tablier et que nous n'étions pas faits pour travailler ensemble. (J'ai continué à démissionner chaque mois ou presque pendant des années…) Il me suggéra alors d'être dans le bureau de Tina moins de vingt minutes plus tard pour plaider ma cause… Autour d'une table de conférence était réunie une demi-douzaine de rédacteurs, pour la plupart opposés à ma couverture. Certains objectèrent que l'on pourrait croire que le magazine regardait avec condescendance des communautés plongées dans les ténèbres de l'ignorance. Je répondis que le magazine ne pouvait plus refuser de descendre dans l'arène de la vie de la cité. Autre argument qui me laissa pantois : ce dessin confirmait, semble-t-il, les rumeurs selon lesquelles des juifs hassidiques recouraient aux services de prostituées sous le Williamsburg Bridge. (Je méprisai l'argument, mais *Screw*, un petit hebdomadaire consacré au sexe, publia la semaine suivante une parodie de mon dessin, fondée sur ces rumeurs.) L'échange

de civilités se poursuivit jusqu'à ce que le directeur de la publication, Steven Florio, exaspéré, agite un combiné de téléphone en s'écriant : "Peu m'importe laquelle, mais il faut que l'une ou l'autre de ces deux couvertures roule d'ici cinq minutes !" C'est à cet instant, je pense, que je gagnai la partie : les dés étaient jetés.

Le magazine tenta d'amortir le choc en publiant une "Déclaration de l'artiste", qui reprenait quelques-uns de mes arguments lors de la réunion. Publier une note d'intention était aussi novateur que la couverture elle-même, et elle révulsa les formalistes pour qui l'Art est sa propre fin. On pouvait lire :

"Cette étreinte métaphorique est la carte de vœux que j'envoie à New York pour la Saint-Valentin, vœux de réconciliation, sous la forme d'un baiser symbolique, entre des factions apparemment irréconciliables. C'est un rêve, bien sûr – non un projet de solution. La façon dont je rends ce rêve est intentionnellement et sciemment naïve, comme est naïf, peut-être, le souhait sous-jacent que des gens que la colère et la peur coupent les uns des autres – Serbes et Croates, Hindous et musulmans, Arabes et Israéliens, Antillais et juifs hassidiques – parviennent à 's'embrasser et à se réconcilier'. Mon métier consiste à faire des images, et je ne méconnais pas le fait que, dans le monde réel, le monde situé au-delà des limites de mon dessin, un juif hassidique n'est pas autorisé à serrer dans ses bras une femme n'appartenant pas à sa secte et à sa famille. (Je n'aurai pas la fourberie de vouloir faire croire que la femme que j'ai dessinée est son épouse, une juive éthiopienne). Je suis également cruellement conscient que les calamités dont souffrent les communautés noires de New York ne peuvent se résoudre par un baiser. Mais, une fois l'an, peut-être est-il permis, ne serait-ce qu'un instant, de fermer les yeux, de voir au-delà des dramatiques complexités de la vie moderne, et d'imaginer que, comme dit la chanson : *'All you need is love'.*"

Ci-dessus : Esquisse préliminaire de la "Saint-Valentin".

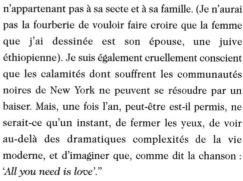

Pour ce qui est de la merde complète, OH LÀ LÀ !... Ma couverture déclencha des réactions médiatiques dignes d'une catastrophe planétaire, et ce jusque dans des coins du globe très éloignés du quartier de Brooklyn dont tout était parti. Dès que le numéro fut sorti, des journalistes foncèrent à Crown Heights et le brandirent sous le nez de juifs hassidiques qui n'avaient jusque-là guère prêté attention au *New Yorker*. Je me trouvais alors en Floride avec ma femme et nos deux enfants pour le vernissage d'une exposition qu'un musée consacrait à mon travail. Une meute de reporters retrouva notre trace alors que nous nous rendions à l'aéroport de Miami, serrant nos valises comme si nous étions des réfugiés sur le point d'embarquer pour Cuba afin d'y demander asile... Pendant ce temps, à New York, le magazine avait engagé une salle entière de secrétaires temporaires pour faire face à l'avalanche de menaces de résiliations d'abonnement, et des gardes armés pour affronter les menaces plus directes. La Ligue juive anti-diffamation, qui m'avait peu avant décerné un prix, envoya une lettre furieuse blâmant l'image sacrilège.

De nombreuses voix, toutefois, exprimèrent le plaisir que ma couverture leur avait procuré. Ma préférée fut celle d'une jeune lectrice qui n'avait rien à voir avec le conflit et qui disait qu'elle ne comprenait pas la controverse : la semaine de l'anniversaire de la naissance d'Abraham Lincoln, elle trouvait charmant de la part du magazine de le montrer en train d'embrasser une femme noire...

Je fus frappé de constater que, dans une presse noyée sous les représentations sadomasochistes, le dessin de deux personnes en train de s'embrasser provoquait un tel courroux ! Le *New York Times* publia le texte d'un professeur animant des ateliers d'écriture au Queens College, que la détestation apoplectique rendait quasiment incohérent. Cette femme parlait des "lèvres lascives" du juif – le *Washington Post* du même jour citant un rabbin consterné qui trouvait "prudes" ces mêmes lèvres.

J'en conclus que l'un et l'autre confondaient dessin et test de Rorschach... Parlant pour ses paroissiens noirs tout aussi choqués, un pasteur de Crown Heights déplora dans une émission de radio que cette couverture prouve une fois de plus que l'homme blanc exploite la femme noire. Il ajouta que "si l'artiste avait du cran, il aurait montré un Noir embrassant une juive." Prié de dire ce que je répondais à cela, je fis observer que c'était peut-être un bon ministre du culte, mais qu'il ferait un mauvais directeur artistique : personne ne verrait que la femme portant un foulard sur les cheveux était juive. En outre, le même pasteur se serait plaint, cette fois, que le mâle noir était représenté en prédateur sexuel.

Bref, une tempête dans un verre d'eau. Mais très amusant. Et, bien entendu, tout ce ressentiment était surtout dû au fait que cette couverture était parue dans le *New Yorker*. Je crois que personne ne serait sorti de ses gonds si elle était parue dans un quelconque bastion de la contre-culture, une feuille de chou comme le *Village Voice* par exemple. Mais personne ne s'attendait à ce que le digne et vieillissant Eustace Tilley soit piqué de la tarentule. Si je n'avais réussi qu'une chose, c'était au moins d'unir les deux parties adverses... dans leur fureur contre moi !

Ci-dessus : parodie de Bob Schneck parue dans *Screw*, © 1993 Milky Way Productions. À droite : "Saint-Valentin", couverture du 15/02/1993.

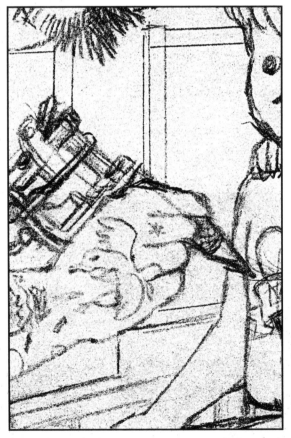

À l'époque où je commençais à travailler pour le *New Yorker*, j'ai rencontré Jonathan Shaw, le fils du clarinettiste de jazz Artie Shaw. Jonathan était le propriétaire, dans le Lower East Side, de Fun City, une officine de tatouage "clandestine" (le tatouage était interdit à New York jusqu'en 1997). Nous avons fait connaissance dans une galerie de Soho, au vernissage d'une exposition d'art influencé par la bande dessinée. Je fus ravi de découvrir un artiste qui travaillait dans un genre artistique tenu en plus basse estime encore que le mien.

Ma position vis-à-vis des tatouages était marquée par les numéros d'Auschwitz que mes parents portaient à l'avant-bras et des images d'abat-jour en peau humaine. Mais l'art marginalisé du tatouage – tant prisé par les motards, les matelots et les habitués des séjours en prison – était en train de devenir une attitude très mode, un rite de passage chez les jeunes et dans les milieux branchés. (J'ai eu vent pour la première fois de ce virage du *Zeitgeist* à la fin des années 1980, le jour où une jeune femme juive m'a envoyé un cliché de son corps blasonné de tatouages, dont une version grand format assez maladroite de la couverture de *Maus* I.)

Commençant à travailler à une idée de couverture pour la fête des Mères, je me rendis compte que j'ignorais à quoi ressemblait une aiguille de tatouage. J'allai donc rendre visite à Jonathan Shaw. Je fis un croquis de l'engin, après quoi il me le mit dans la main et me dit : "Tiens, essaie !" Il remonta une jambe de pantalon et trouva un petit coin de peau encore vierge. Je crus qu'il plaisantait. Mais il m'expliqua qu'il considérait son épiderme comme un album de notations et de souvenirs. Vu le nombre d'études et d'esquisses que je fais avant de coucher un dessin sur le papier, je ne suis pas arrivé à griffonner spontanément quelque chose sur lui. Mais, lorsque la couverture est sortie, j'ai eu la fierté de recevoir du courrier de tatoueurs – groupe social peu enclin à écrire au *New Yorker* –, étonnés que j'aie si bien rendu l'aiguille.

Ci-dessus : dessins préparatoires. À droite : "... Cette Merveille, c'est ma Maman !", couverture du 19/05/1993.

Lors de son élection en 1992, Bill Clinton avait promis de mettre un terme aux mesures anti-homosexuelles dans l'armée. Dès qu'il se heurta à une forte opposition, il fit de tels compromis qu'il abandonna tout principe, et la politique qui prit forme – "Ne dites rien, on ne vous demandera rien" – ne satisfit personne. On ne pouvait plus renvoyer quelqu'un de l'armée pour homosexualité, mais on pouvait le renvoyer pour rapports sexuels avec une personne du même sexe. Mon anti-militarisme m'empêchait de saisir clairement le problème, étant incapable de comprendre que quiconque, de quelque sexe que ce soit, veuille entrer dans l'armée.

Pendant que je faisais (directement sur mon écran d'ordinateur) l'esquisse d'un soldat-travesti en train de se raser, je me surpris à siffloter le grand succès antimilitariste de la Première Guerre mondiale, *I Didn't Raise my Boy to Be a Soldier* ("Je n'ai pas élevé mon garçon pour qu'il soit soldat") – dont je fis figurer la partition sur la couverture. Tandis que les Américains de tous bords étaient déçus par Clinton, je fus pour ma part déçu de ne pas parvenir, en peignant la couverture définitive, à retrouver l'asymétrie et l'étrange expression du visage que j'avais

maladroitement gribouillé avec ma souris. Tina, elle, fut déçue que la couverture ne déclenche pas un de ces intenses scandales médiatiques qui avaient déjà créé en nous une certaine accoutumance. Je suppose que la communauté homo a plus de facilité à rire d'elle-même que, disons, les juifs, les Noirs… ou les Arabes.

Après l'attentat de 1993 contre le World Trade Center, j'eus une idée de couverture, mais j'étais trop pris par le délai de remise d'un travail pour la pousser plus loin. Françoise, en tant que directrice artistique, pensa que l'on pouvait tirer parti de l'image d'enfants jouant aux "terroristes" après cet attentat, et elle persuada David Mazzuccelli de la réaliser. Pour ne pas être accusé de resservir des clichés, il représenta l'agresseur en rouquin à taches de rousseur, tout en donnant à l'une des petites victimes des traits plus "typiquement" arabes. Le magazine ne fit pas moins l'objet d'alertes à la bombe, et une délégation d'Arabo-Américains furieux menaça d'organiser un boycott. David n'aimait pas être interviewé et moi, en tant que juif, je n'étais pas considéré comme le porte-parole idéal pour défendre publiquement cette illustration.

Ci-dessus : "Je n'ai pas élevé mon garçon pour qu'il soit soldat", esquisse sur ordinateur.
À droite : "Châteaux de sable", couverture de David Mazzuccelli, numéro du 26/07/1993 (© David Mazzuccelli).
Page de droite : "Je n'ai pas élevé mon garçon pour qu'il soit soldat", couverture du 28/06/1993.

D ans une Amérique "fana" de flingues, les armes dans les écoles étaient déjà un problème bien avant le massacre de Columbine. Pendant que je préparais cette couverture de rentrée, en 1993, j'ai connu mon premier accrochage sérieux avec le célèbre, et parfois trop zélé, service de vérification des faits du *New Yorker*. (Les faits sont vérifiés dans tous les articles, les dessins et même les poèmes). Je fus certes soulagé d'apprendre que j'avais oublié de représenter une détente sur le fusil automatique du petit garçon que sa mère tient par la main, mais je restai interdit lorsqu'on me suggéra de moderniser la mitraillette tenue par la petite fille, juste derrière. Les vérificateurs se sentirent rassurés une fois que je leur eus expliqué que la malheureuse allait en classe grâce à une bourse et que, ne pouvant s'offrir un Uzi de luxe comme ses petits camarades, elle était obligée d'utiliser la vieille pétoire de son grand-père, datant de l'époque de la Prohibition…

En haut : dessin préparatoire.
Ci-dessus : esquisse sur ordinateur.

À droite : "Les pétards de la rentrée", couverture du numéro du 13/09/1993.

On me demanda de préparer, pour les fêtes de fin d'année, une couverture qui provoque autant de remous que celle de la Saint-Valentin en début d'année. Je fis donc une esquisse représentant les jambes de gens qui courent en tous sens avec des sacs bigarrés, débordant d'achats de Noël, entre lesquels on apercevait un SDF pelotonné sur le trottoir et enveloppé dans du papier cadeau… C'était un dessin utilisable, mais qui n'avait pas de quoi mettre les autres journaux en alerte. Je fis donc une autre esquisse, transgressive jusqu'à l'absurde : un Père Noël pissait contre un mur sous une affiche disant "N'oubliez pas les sans-abri" ; la tache qu'il faisait sur le mur prenait la forme du sapin de l'affiche. Je l'intitulai "Le miracle de l'urine"… Compte tenu du fait que Shawn, prude, interdisait que l'on fît même allusion à la transpiration, je fus très étonné que Tina s'intéresse à ce projet. Elle refusa l'affiche sur les SDF, tentative gratuite, selon elle, pour "donner un contenu social à ce qui n'était qu'une petite plaisanterie de mauvais goût". "Un peu de mauvais goût, ce n'est pas si terrible que ça !" ajouta-t-elle.

Encouragé dans mes penchants iconoclastes, je me mis à retravailler joyeusement mon projet et je m'attelai à la peinture finale – quoique mon contenu social gratuit me manquât un peu… Entre-temps, Tina réfléchit. Elle m'envoya une note fort aimable, m'expliquant que mon dessin "rabaissait le lecteur simplement pour le faire légèrement sourire", ne lui laissant, après "la réaction initiale au gag" (pas mal !), "aucun plaisir ni rien à défendre" au-delà d'un indéfendable hymne au mauvais goût sur l'air de "Je compisse la bourgeoisie"… J'avoue, confus, que je pris très mal ce refus. Telle la prima donna que son magazine m'avait, en somme, poussé à devenir, je lui envoyai un long fax exagérément courroucé – la première de mes nombreuses lettres de démission. J'étais scandalisé que Tina refuse mon dessin sous prétexte qu'il n'avait pas de contenu social, après avoir elle-même éliminé celui-ci…

À gauche et à droite : esquisses sur ordinateur pour une couverture de Noël, 1993.

Une "taupe" dans l'équipe du magazine fit passer ma lettre au *New York Observer* (un hebdomadaire cancanier pour qui le moindre frémissement dans le fief de Tina valait la peine d'être publié), et notre conflit remonta la chaîne alimentaire médiatique jusqu'à *Newsweek,* qui publia la choquante illustration. En fin de compte, ma couverture parut dans une publication comptant bien plus de lecteurs que le *New Yorker,* et Tina fit beaucoup parler d'elle, tout en sauvant sa publication de ma vulgarité. Embrassons-nous, Folle ville ! – jusqu'au prochain refus...

U n des à-côtés de mon travail était la possibilité d'avoir accès aux archives du magazine, à ses couvertures et dessins d'autrefois. Cette petite dame est un hommage aux somptueuses couvertures dessinées dans les années 1930 et 1940 par William Cotton. Je me suis totalement identifié avec cette pauvre fille, agressée par les images ultra suggestives de son milieu urbain… tout en rajoutant moi-même à sa souffrance.

À gauche : esquisses préparatoires.
Ci-dessus : esquisses sur ordinateur.
À droite : "Sens dessus dessous", couverture du 26/09/1994.

Bien que les médias aient proclamé que la mode était devenue le Grand Art des années 1990, l'intérêt que je portais au sujet se limitait à l'agréable et cyclique raccourcissement des jupes des femmes, et à mes efforts pour jeter mes chemises trop tachées d'encre ou trop trouées par les cigarettes… Quand Tina se mit à courtiser les généreux annonceurs de la mode, qui dépensaient d'habitude leurs dollars auprès d'autres magazines du groupe S.I. Newhouse's comme *Vogue*, elle décida de sortir un numéro double consacré à la mode et me commanda une couverture. Je blêmis… Même si je prenais plaisir à résoudre les problèmes que posaient mes projets pour le *New Yorker*, réaliser les couvertures des numéros à thème – fournir un "visage" à des sujets n'ayant pour moi aucun intérêt intrinsèque – me menait sur une pente glissante, quelque part entre l'"art" (ou quelque chose d'approchant) et la simple "illustration", une pente vers le bas de laquelle je glissais à mesure que je m'élevais de la B.D. underground à l'univers prestigieux du *New Yorker*… Mon insécurité et mon manque de facilité naturelle pour dessiner m'ont souvent conduit à accumuler les études préliminaires, mais j'ai battu mon record en tentant de trouver quelque chose de suffisamment élégant pour une couverture de mode, tout en n'abandonnant pas tout à fait le côté dépenaillé de ma propre personnalité.

Le numéro fut couronné par l'un de ces dîners absurdement somptueux donnés par Tina, qui réunit, comme toujours, un véritable *Who's Who* des splendides, des célèbres et des puissants. Presque aussi peu sensible aux célébrités qu'à la mode, je passai à côté d'une bonne part de la soirée, quoique je n'aie pas détesté voir ma couverture transformée en une toile de 9 mètres de haut dominant la scène du théâtre de Broadway qui servait de salle de banquet.

Double page précédente et ci-dessus : dessins préparatoires et esquisses sur ordinateur. À droite : "Dévoilés", couverture du 7/11/1994.

 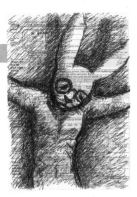  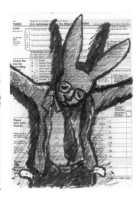

Bien que mes couvertures eussent fréquemment des implications politiques, je ne voyais ordinairement pas en elles des dessins humoristiques "politiques" réduisant mon point de vue à un symbole éloquent, mais plutôt des "baromètres du Zeitgeist" où je mélangeais les symboles afin de découvrir ce qu'au juste je pensais.

En 1995, comme nous approchions de Pâques (fête qui me contrarie autant que Noël par son mélange de religieux et de laïque), je remarquai que le 15 avril, date limite de paiement des impôts aux États-Unis, tombait juste après le vendredi saint. Je me mis à dessiner sur mes formulaires de déclaration des lapins de Pâques crucifiés. À l'époque, le Parti républicain (alors assujetti à Newt Gingrich, président, de droite, de la Chambre des représentants, et à sa base chrétienne fondamentaliste) bêlait qu'il était urgent de réduire les impôts. Un article en première page du *New York Times* parlait de la "théologie" des réductions d'impôts, ce qui me parut un curieux choix de mot : dans une Amérique en principe laïque, le débat aurait dû porter sur les aspects "économiques" ou même "éthiques" des réductions d'impôts. Je montrai mon dessin, intitulé "Imposés à mort ?", à Tina, qui décida de tenter le coup. Élevée dans une Europe laïque, elle n'était pas à même de prévoir la virulence de la réaction des chrétiens américains.

Un certain William Donahoe, qui dirigeait une "Ligue chrétienne anti-diffamation", organisa une campagne par correspondance et une marche de protestation contre le magazine pour "dénigrement des catholiques", faisant de cette couverture un événement médiatique de grande ampleur. Le magazine me rapatria en vitesse (et, toujours dépensier, en Concorde) d'une tournée de signatures en Europe afin de répondre aux critiques. Je déclarai sobrement à la presse : "Le citoyen que je suis ne croit pas que nous payions trop d'impôts (bien que, je trouve, on n'en fasse pas bon usage). Et l'adulte que je suis ne croit pas non plus au lapin de Pâques. Mais le dessinateur, lui, croit que les images ont le pouvoir de provoquer la réflexion." Lorsqu'on me demanda de réagir, lors d'un journal télévisé, aux accusations de Donahoe selon qui les catholiques pieux avaient été offensés, je haussai les épaules, écartai les bras comme si j'étais crucifié et lançai : "Mea culpa." L'attachée de presse du magazine, dont le seul souci était de désamorcer la controverse, jura de ne plus jamais m'envoyer sur un plateau de télévision.

Quand, le lendemain, j'arrivai aux bureaux fortement gardés du magazine afin de voir la manifestation annoncée, un journaliste de la rédaction, David Remnick, me mena, livide, vers une fenêtre et me montra un cortège interminable s'étirant dans la 42ᵉ Rue. Il s'avéra qu'il s'agissait de l'annuel défilé de Pâques des employés de la municipalité de New York. La manifestation contre le *New Yorker,* dans la 43ᵉ Rue, se composait d'environ douze personnes… Mais, en rentrant chez moi, je trouvai ma boîte aux lettres emplie de menaces de mort antisémites ("On peut t'avoir, même à Jew York", par exemple), qui me firent comprendre que ce qui était surtout offensant, dans ma couverture, c'était, apposée dans le coin inférieur droit, la signature qui indiquait que l'auteur du dessin n'était ni irlandais ni italien. Une fois de plus, je recevais cette désagréable leçon : je ne devais faire de commentaires que sur le groupe ethnique auquel j'appartiens.

Ci-dessus : esquisses préparatoires. À droite : "Imposés à mort ?", couverture du 17/04/1995.

Form
1040A

Department of the Treasury—Internal Revenue Service

U.S. Individual Income Tax Return (P) 1994

IRS Use Only—Do not write or staple in this space.

OMB No. 1545-0085

Label

(See page 16.)

Use the IRS label. Otherwise, please print or type.

L A B E L   H E R E

Your first name and initial | Last name | Your social security number

If a joint return, spouse's first name and initial | Last name | Spouse's social security number

Home address (number and street). If you have a P.O. box, see page 17.

City, town or post office, state, and ZIP code. If you have a foreign address, see page 17.

For Privacy Act and Paperwork Reduction Act Notice, see page 4.

Presidential Election Campaign Fund (See page 17.) | Yes | No

Do you want $3 to go to this fund?

If a joint return, does your spouse want $3 to go to this fund?

Note: *Checking "Yes" will not change your tax or reduce your refund.*

Check the box for your filing status

(See page 18.)

Check only one box.

1 ☐ Single

2 ☐ Married filing joint return (even if only one had income)

3 ☐ Married filing separate return. Enter spouse's social security number above and full name here. ►

4 ☐ Head of household (with qualifying person). (See page 18.) If the qualifying person is a child but not your dependent, enter this child's name here. ►

5 ☐ Qualifying widow(er) with dependent child (year spouse died ► 19   ). (See page 19.)

Figure your exemptions

(See page 20.)

If more than seven dependents, see page 23.

6a ☐ Yourself. If your parent (or someone else) can claim you as a dependent on his or her tax return, do not check box 6a. But be sure to check the box on line 18b on page 2.

b ☐ Spouse

c Dependents:

(1) Name (first, initial, and last name)
(2) Check if under age 1
(3) Dependent's social security number
(4) Dependent's relationship to you
(5) No. of months lived in your home in 1994

No. of boxes checked on 6a and 6b

No. of your children on 6c who:
• lived with you
• didn't live with you due to divorce or separation (see page 23)

Dependents on 6c not entered above

d If your child didn't live with you but is claimed as your dependent under a pre-1985 agreement, check here. ► ☐

Add numbers entered on lines above

e Total number of exemptions claimed.

Figure your total income

Attach Copy B of your Forms W-2 and 1099-R here.

If you didn't get a W-2, see page 25.

Enclose, but do not attach, any payment with your return.

7 Wages, salaries, tips, etc. This should be shown in box 1 of your W-2 form(s). Attach Form(s) W-2. | 7

8a Taxable interest income (see page 25). If over $400, attach Schedule 1. | 8a

b Tax-exempt interest. DO NOT include on line 8a. | 8b

9 Dividends. If over $400, attach Schedule 1. | 9

10a Total IRA distributions. 10a | 10b Taxable amount (see page 26). | 10b

11a Total pensions and annuities. 11a | 11b Taxable amount (see page 27). | 11b

12 Unemployment compensation (see page 30). | 12

13a Social security benefits. 13a | 13b Taxable amount (see page 31). | 13b

14 Add lines 7 through 13b (far right column). This is your **total income.** ► | 14

Figure your adjusted gross income

15a Your IRA deduction (see page 32). | 15a

b Spouse's IRA deduction (see page 34). | 15b

c Add lines 15a and 15b. These are your total adjustments. | 15c

16 Subtract line 15c from line 14. This is your adjusted gross income. If less than $25,296 and a child lived with you (less than $9,000 if a child didn't live with you), see "Earned Income Credit" on page 44. ► | 16

Cat. No. 11327A | **1994 Form 1040A page 1**

Le thème des menaces qui pèsent sur les enfants avait fourni au père de famille que je suis la matière de plusieurs esquisses et avait conduit, vers la fin de 1994, à ce projet de couverture, dessiné en pensant à un numéro de Noël. Il avait été achevé et accepté (pas en tant que couverture de Noël, toutefois) mais, dans le remue-ménage qui succéda à la crucifixion, il disparut du programme. Je poussai Tina à s'expliquer. Elle m'écrivit que, pendant six mois au moins, elle voulait des couvertures qui soient avant tout "plaisantes et agréables à regarder". Comme ce n'était pas mon fort, je revins à la charge :

"J'ai le sentiment que vous êtes devenue méfiante vis-à-vis de toute couverture (particulièrement dessinée par moi) qui attirerait l'attention après l'affaire du lapin de Pâques. Mais ce dessin, à la différence de celui de Pâques, est saisissant, lourd de sous-entendus et poignant, sans pour autant prêter le flanc à la 'controverse'. (Personne ne dit que les dangers auxquels le monde actuel expose les enfants ne sont pas horribles.) Ce serait une façon sans risque et utile, pour le magazine, d'apporter la démonstration de sa cohérence après le numéro de Pâques, et de montrer que les couvertures pertinentes riment à quelque chose... qu'elles forment un ensemble."

J'appris, par l'intermédiaire de Françoise, que ce qui déconcertait tout particulièrement Tina, c'était la juxtaposition d'enfants en train de jouer et du mot "SIDA". On négocia alors une série de trocs : "SIDA" serait remplacé par le mot légèrement moins gênant de "Drogue", en échange de quoi on réviserait à la hausse la charge anxiogène de "Meurtres en série" en lui substituant "Attentats à la bombe". La couverture sortit, sans entraîner de lettres de protestation, le... 11 septembre 1995.

Ci-dessus : dessin et peinture préparatoires pour "News R Us." À droite : "News R Us", couverture du 11/09/1995.

Le scandaleux verdict "Non coupable" à l'issue du procès pour meurtre d'O.J. Simpson tomba au début d'octobre 1995, juste au moment où, manque de chance, Tina sortait un numéro sur "La maison", prévu depuis longtemps et très ouvert aux annonceurs... Elle m'envoya des fax pressants pour me demander une couverture "détonante" qui fasse universellement remarquer le *New Yorker*, même une semaine après tous les autres médias. Obsédé comme tout le monde par ce procès, j'avais eu une idée visuelle forte, mais j'étais encore endolori après l'imbroglio pascal, et cette idée rimait avec embêtements. Je tentai donc de faire profil bas.

En effet, j'avais voulu mettre en image la fameuse "carte de la race" jouée par Johnny Cochran, l'avocat de Simpson qui, selon tous les journaux, avait fait de son client une malheureuse victime noire de la police de Los Angeles, et j'avais réalisé un dessin du beau et brillant O.J. en lui faisant – tabou ! – un visage de *minstrel*, ces anciens musiciens blancs qui se grimaient en Noirs pour les ridiculiser. Tina continuant à me réclamer une couverture à cor et à cri, je me laissai fléchir... tout en la prévenant que mon idée était trop "détonante" pour lui plaire. Après avoir reçu mon projet, elle trouva que ce n'était pas assez fort, puis elle me rappela pour m'annoncer que c'était trop fort. Étrange... J'eus alors droit à une incroyable série de suggestions de la part de divers journalistes pleins de bonnes intentions, qui tentèrent d'adoucir mon image en remplaçant le *minstrel* aux lèvres charnues par un O.J. revêtu d'une tunique africaine, ou portant un bonnet de bouffon, ou même en train de manger une pastèque !

Quand l'émotion fut retombée, Tina me supplia de terminer mon dessin et m'assura que, s'il ne figurait pas en couverture, il passerait en page intérieure. Je travaillai sans relâche pendant deux jours pour réussir à être dans les temps. Mais, le lendemain matin, je fus réveillé par un appel de Tina, qui m'expliqua qu'elle avait envoyé un fax de ma couverture à l'éminent directeur du Département des études afro-américaines de Harvard, Henry Louis Gates, lequel estimait que ma couverture passerait pour "raciste". Tina avait donc décidé de la sabrer. J'appris peu après que le numéro devait comporter une étude de Gates lui-même, dans lequel il présentait les réactions de plusieurs intellectuels américains noirs face à ce procès.

L'article de Gates constituait, pour le magazine, un apport de valeur au grand débat national sur O.J., et mon dessin sortit dans *The Nation*, un courageux petit magazine de gauche qui a maintes fois recueilli de miennes œuvres trop brûlantes pour les fines mains du *New Yorker*.

Mais lorsqu'un journaliste du *New York Observer*, en quête de potins sur Tina, m'appela, mon indignation éclata. Je dis ma colère qu'elle ne m'ait pas demandé, par exemple, de parcourir l'étude de Gates pour voir si je ne la trouvais pas raciste, elle. (J'avais d'ailleurs appelé Gates et plusieurs amis pour parler des implications de ma couverture pendant que j'y travaillais, mais je n'avais pu le joindre. Je suppose qu'il était lui aussi enfermé pour tenir ses délais.) J'ajoutai imprudemment au sujet de Tina : "C'est la rédactrice la plus capricieuse avec laquelle j'aie jamais travaillé, que ce soit dans la presse ou l'édition – et, dans la presse underground, j'ai travaillé avec des chefs de service qui étaient des vrais demeurés."

Je suppose que si ma femme, Françoise, n'avait pas été au magazine pour caresser un peu tout le monde dans le sens du poil, j'aurais publié un opuscule consacré à mes trois ans au *New Yorker* et je serais allé voir ailleurs. Mes relations avec Tina devinrent glaciales, et, en 1996, mon contrat de consultant éditorial ne fut pas renouvelé. Comme le magazine le fit pertinemment remarquer, il est difficile de consulter quelqu'un quand on se parle à peine.

À droite : couverture refusée.

RÈGLES DU JEU :
LA RACE BAT LE SEXE QUAND
LE JOUEUR A UNE CARTE EN OR.

Je continuai à écrire et à dessiner pour le magazine, mais, à compter de cet épisode, j'eus du mal à voir en lui une véritable terre d'accueil pour mes idées. Je me résignai à vivre dans une cage dorée, y voyant une sorte de variante, mieux payée et destinée aux adultes, de mon ancien travail pour les chewing-gums Topps... Le mot d'ordre de Tina, "Des couvertures plaisantes et agréables à regarder", m'amena à produire des dessins bien plus fades. Je me concentrai sur une chose : améliorer ma technique. "Neige fumante" (janvier 1996) a ceci de remarquable que c'est la première couverture que j'aie entièrement réalisée sur ordinateur. (Jusque-là, j'en revenais toujours aux techniques du XIXᵉ siècle pour les versions finales.) Mais pendant que, quasiment assigné à résidence, je grillais cigarette sur cigarette, je ne pus m'empêcher de penser que le thème – les mesures draconiennes prises contre le tabac à New York – aurait mérité dessin plus incisif. Je me rendis compte que, chaque fois que j'étais excédé par le magazine, j'en revenais aux bonhommes de neige : ils sont extraordinairement faciles à faire...

"Valeurs familiales", dessinée quelques mois plus tard, demeure une de mes couvertures préférées de l'époque : elle montre une image de la famille dans laquelle je pouvais puiser du réconfort, et c'est la seule fois où Saul Steinberg, le grand maître du *New Yorker*, m'adressa, par l'intermédiaire de Françoise qui était en contact avec lui, des félicitations.

Je dessinai ensuite une anodine couverture sur la remise des diplômes, et, cet été-là, désespérant de trouver d'autres idées "plaisantes et agréables à regarder", je fus soulagé par une effrayante invasion d'insectes énormes, qui m'inspirèrent "Un été tout bourdonnant".

Enfin, un an après l'affaire Simpson, alors que j'avais commencé à regagner la confiance de ma directrice, celle-ci me téléphona pour une urgence...

En haut à gauche : "Neige fumante", couverture du 15/01/96.
À gauche : "Promo 96", couverture du 20/05/96.
À droite : "Valeurs familiales", couverture du 22/04/96.
Page suivante : "Un été tout bourdonnant", couverture du 19/08/96.

art spiegelman

En octobre 1996, Tina demanda à Connie Bruck un long article sur les pourparlers de paix, finalement vains, auxquels le président Clinton avait convié Yasser Arafat et Benyamin Netanyahou. Tina voulait une couverture qui fasse pendant à l'article et elle approuva une esquisse que, circonspect, je lui avais envoyée : une colombe morte et ensanglantée, dans un style rappelant les affiches de la guerre d'Espagne. L'article de Connie Bruck était modifié en fonction des aléas des pourparlers de Washington. La date d'impression du numéro se rapprochait… On me pria, à un moment donné, de rendre mon illustration moins catégoriquement pessimiste. J'ajoutai autour de la colombe quelques traits indiquant l'action, et je la représentai les yeux ouverts pour montrer que, quoique couverte de sang, elle était encore vivante. Au fil des modifications, je finis par avoir l'impression que je travaillais à un dessin animé. Énervé, je fis même une version montrant l'oiseau qui s'envole de la page.

Le jour où la couverture devait être imprimée, j'appris que l'on avait retouché mon image afin d'en ôter tout le sang, ce qui rendait assez mystérieuse l'énorme tache dans laquelle l'oiseau gisait. Ces modifications ne pouvant être apportées sans mon autorisation, j'exigeai que l'on enlève ma signature ou que l'on remette le sang.

Au cours de la conférence au sommet aussi laborieuse que les pourparlers de Washington que j'eus avec Tina par téléphone, chaque gouttelette de sang fut négociée, jusqu'à ce que, à bout, je me résigne à ce qu'il n'y ait que quelques traces rouges au bout de la queue du volatile.

Résultat : quelques mois plus tard, retour aux bonhommes de neige…

Page précédente : "La paix en conserve", couverture du 14/10/96.
En haut à gauche : version "énervée" de la même.
Au centre : première esquisse sur ordinateur.
En bas à gauche : état final *avec sang*.
Page de droite : "Chaud, chaud, très chaud !", couverture du 27/01/97.

Adepte de *Mad*, j'avais plaisir à caricaturer et à torturer Eustace Tilley. Tina vouant elle-même une détestation absolue à cette vénérable figure, elle décida, à l'approche de l'anniversaire annuel, de se passer de ce symbole ridiculement suranné pour son magazine implacablement *au courant* et de sortir un numéro spécial sur le crime. Ce thème me fit immédiatement penser à Dick Tracy, le grand symbole de la loi en Amérique. Je juxtaposai le profil du détective dur à cuire et la silhouette de ce mollasson de Tilley. Je pense que le thème policier m'inspira, pour le numéro de Pâques suivant, une inoffensive couverture, conçue pour me faire pardonner mes péchés passés…

Toujours passionné par les stars et les puissants, le *New Yorker* se tourna naturellement vers Hollywood, où Tina se mit à organiser chaque année des soirées très recherchées pour les Oscars. Cela me permit d'être dans l'actualité tout en évitant les ennuis : "Jurassic Park" (1997) et "Titanic" (1998).

Je ne regardais jamais la cérémonie des Oscars à la télévision, plaisir "coupable" de nombre de mes amis. Mais le jour où, en 1999, *La vie est belle* de Roberto Benigni fut couronné, mon intérêt devint très vif pour ce film, réduction sentimentale et confuse de l'"Holocauste" en métaphore d'un "mauvais trip", d'un "sale moment" que l'imagination et le sens de l'humour pouvaient rendre supportable. Après *Maus*, j'avais soigneusement veillé à ne pas me poser en arbitre de l'HoloKitsch, mais je me sentis personnellement concerné quand je lus que Benigni s'était inspiré de mon livre. Mon nouveau patron, David Remnick (qui avait pris la barre à l'été 1998), n'avait pas envie de montrer en couverture une victime émaciée d'Auschwitz tenant un Oscar. Mais il accepta que mon dessin paraisse à l'intérieur, à la rubrique "Carnet de croquis", accompagné d'une citation

Pages précédentes : "Dick Tilley", couverture des 24/02/97 & 03/03/97, et "Les durs cherchent les œufs de Pâques", couverture du 31/03/97.

extraite de la publicité du film : "Devenez un acteur de l'Histoire et du film étranger le plus couronné de tous les temps." (Je garde toutefois la

nostalgie de ma légende originale : "Je remercie tous ceux sans qui rien de tout cela n'aurait été possible"…)

En haut à gauche : "Composez le 911-Film", couverture du 26/05/97.
À gauche : "Une soirée inoubliable", couverture du 23/03/98.
Ci-dessus : "Carnet de croquis" du *New Yorker*, 15/03/99.

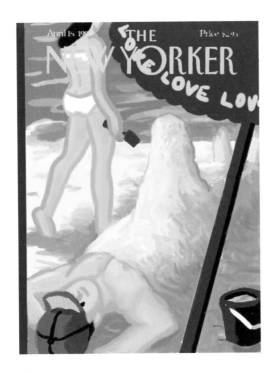

J'eus l'idée, pour un numéro spécial d'été intitulé "Leçons d'amour", d'une scène de plage construite autour d'un château de sable phallique. Je ne pensais pas sérieusement qu'elle serait acceptée, mais "Qui ne risque rien n'a rien"… Les semaines s'écoulant sans la moindre réponse, pas même un refus, je commençai à m'énerver et je relançai Tina. Occupée par d'autres questions, elle me demanda si j'avais à lui proposer quelque chose sur les Kennedy. Intrigué, je lui renvoyai mon esquisse avec le visage de Ted Kennedy au sommet de la tour phallique. En réalité, elle n'avait jamais vu mon premier projet, et ma sarcastique version Kennedy ne lui dit rien.

En revanche, Tina comprit fort bien l'idée que je lui proposai ensuite, "Eros et le beau gosse" – et les protestations de ceux des lecteurs les plus âgés du *New Yorker* qui étaient toujours prêts à s'offusquer montrèrent que la réputation que j'avais de rendre vulgaire leur magazine restait intacte.

En haut à gauche : esquisse d'"Un amour de vacances" sur ordinateur, refusée. En bas à gauche : détail, avec Ted Kennedy.
En bas à droite : esquisse sur ordinateur de "Eros et le beau gosse". À droite : "Eros et le beau gosse", couverture des 25/08/97 & 01/09/97.

J'avais proposé en 1996, pour un numéro spécial Femmes, une esquisse représentant, dans le style héroïque, une ouvrière de chantier qui donne le sein à son bébé. Étonné qu'elle soit refusée, je la reproposai plusieurs fois à Tina, qui finit par l'accepter comme couverture de la fête des Mères. (J'ai présenté à plusieurs reprises un autre projet pour la fête des Mères, "Les bébés font des bébés", mais il n'a jamais été retenu.) Bien que "Pause déjeuner" ait souvent été réimprimé par des groupes militant pour l'allaitement au sein et des associations de femmes exerçant des métiers qui sortent de l'ordinaire, j'en suis particulièrement insatisfait. J'avais une forte fièvre la semaine où je l'ai achevé, et je n'ai pas retrouvé la puissance qu'il y avait dans l'esquisse. Dommage que les certificats médicaux ne soient pas imprimés au dos des couvertures !

En haut : esquisse sur ordinateur pour "Pause déjeuner". En bas à gauche : "Les bébés font des bébés", 1996, esquisse sur ordinateur, refusée. Page de droite : "Pause déjeuner", couverture du 11/05/98.

En octobre 1997, Tina eut l'idée de poser, dans un numéro intitulé "Next", une question qui, à ce moment-là, n'inspirait pourtant pas les plus grandes inquiétudes : quelles allaient être les prochaines innovations en matière de politique, d'art et de technologie… Dans mon nouveau rôle de simple illustrateur et non plus de provocateur, je lui savais gré des numéros doubles très ouverts aux annonceurs : leurs thèmes m'offraient, au moins, un tremplin pour des idées visuelles, et ce numéro fut une occasion de plus pour moi d'améliorer mon dessin sur ordinateur.

Je fus récompensé en étant invité à l'un des plus somptueux raouts de Tina Brown : un congrès "Next" de 24 heures à Orlando, en Floride. Les journalistes du *New Yorker* y firent en réalité office de tampons pour éviter aux Grands Noms de se cogner les uns dans les autres ! En effet, Tina avait convié le gotha international des médias, des entreprises et de la politique au Disney Institute de Disney World afin de "discuter pendant 24 heures de l'avenir des médias, du divertissement et de notre culture"… Hôtes du *New Yorker* et du directeur général de Disney, Michael Eisner, les quelque cent cinquante invités comprenaient Douglas Adams, Laurie Anderson, Michael Bloomberg, Barry Diller, Jesse Jackson, Quincy Jones, Mike Nichols, Steve Martin, Diane Sawyer, David Salle et Harvey Weinstein, entre autres lumières – tout ce monde déambulant, scène surréaliste, à travers le jardin d'arbres taillés en forme de Mickey Mouse… Au déjeuner, le vice-président Al Gore passa dire quelques mots.

Je n'ai pas retenu la moindre observation d'un seul participant, mais cet événement montra que, si "un magazine est le procès-verbal des réunions d'un club dans lequel vous aimeriez être admis", comme Alex Melamid le dit un jour à David Remnick, le club de Tina Brown avait largement dépassé les dimensions de la table ronde de l'hôtel Algonquin autour de laquelle se réunissait la bande des années 1920… Le numéro "Next" de l'année suivante, publié sous la responsabilité de David Remnick, eut des proportions nettement plus modestes. Faute de mieux, en tout cas, Tina avait exploré ce que pourraient être les prochaines innovations dans sa vie personnelle, car elle quitta brusquement le *New Yorker* neuf mois après, pour se lancer dans la mésaventure du magazine *Talk* avec Harvey Weinstein, de la maison de production Miramax.

En haut : esquisse sur ordinateur, rejetée, pour un numéro "Digital", 1997. Page de droite : "Voir loin", couverture des 20 & 27/10/97.

THE NEW YORKER
N
EXT
NEXT NEXT
NEXT NEXT NEXT
NEXT NEXT NEXT NEXT
art spiegelman

Mon nouveau rédacteur en chef essaya de ramener le magazine à la quiétude de ses origines. Lorsqu'il prépara, en 1999, le numéro spécial "L'ère du digital", conçu pour attirer les jeunes lecteurs à la page et branchés électronique – et les annonceurs qui voulaient se brancher sur eux ! –, je lui proposai, par pure perversité, une couverture qui eût convenu à un numéro "Digital" de 1937... Elle passa dans le "Carnet de croquis".

Ci-dessus : "La technophobe, couverture de notre premier numéro digital du 04/12/1937", "Carnet de croquis" du *New Yorker*.
Page de droite : "Next", couverture des 26/10/98 & 02/11/98.

Françoise et moi étions à Paris quand éclata l'affaire Monica Lewinsky, à la fin du mois de janvier 1998. Il était encore trop tôt pour évaluer les dégâts pour Bill Clinton et pour l'Amérique, mais Françoise comprit que cela allait avoir des conséquences immédiates pour la directrice artistique du *New Yorker* qu'elle était. Elle appela deux dessinateurs pour leur demander des projets de couverture à montrer le lendemain à Tina. J'avais, avec suffisance, décidé que cela ne me concernait pas. Mais, dans l'avion qui nous ramenait, je ne pus m'empêcher de gribouiller une petite idée à moi. Françoise se rendit directement à son bureau, qui, devant réorganiser le numéro de la semaine, était bel et bien en pleine effervescence. Elle m'appela pour m'annoncer que Tina voulait mon dessin pour le lendemain matin. Vaseux à cause du décalage horaire, je travaillai toute la nuit, confiai, au petit matin, le résultat à un collaborateur du magazine, et m'endormis comme une masse. En me réveillant, l'après-midi, je trouvai deux messages sur mon répondeur : de mélodieuses félicitations de Françoise, qui m'apprenait que tout le monde était ravi de ma couverture et que celle-ci était partie chez l'imprimeur ; puis, environ une heure après, un nouveau message d'une Françoise déconfite et

désolée, m'annonçant que Tina était devenue frileuse et venait de sabrer ma couverture. Furieux, j'offris mon dessin à une publication bien moins importante, qui souhaitait l'utiliser une semaine plus tard si l'affaire survivait à un cycle médiatique supplémentaire.

Mais, à la fin de la semaine suivante, je fus réveillé de bonne heure par un message téléphonique de Tina. Elle rentrait à New York après un petit déjeuner avec Clinton et, d'un air assez penaud, me demandait d'apporter immédiatement mon dessin au magazine afin de remplacer la couverture prévue. Le désir de rester à la tribune très en vue du *New Yorker* l'emporta sur le désir de vengeance, et je filai aux bureaux. Les rares personnes présentes à cette heure crurent que je voulais imposer mon illustration par un coup de force. Elles n'avaient pas été en contact avec Tina, qui n'était pas encore rentrée de Washington, et la couverture prévue était déjà en partie imprimée. Finalement, on pilonna les exemplaires, on lança ma couverture… et, en soupirant, je rentrai à mon atelier, où je contemplai, sur mon tableau d'affichage, la vignette retouchée de *Peanuts* que m'avait envoyée mon ami et confrère du *New Yorker* Ren Weschler après le conflit au sujet d'O.J. Simpson, en 1995.

En haut : esquisse pour "La voie basse". En bas à droite : parodie de Ren Weschler (Peanuts © United Feature Syndicate).
Page de droite : "La voie basse", couverture du 16/02/98.

Lorsque, sans prévenir, Tina abandonna le navire en juillet 1998, c'est David Remnick, un ami, qui prit la barre. J'avais appris à considérer mes cinq ans et demi au magazine comme un exercice d'existentialisme et à supposer que chaque jour serait le dernier. J'offris donc immédiatement ma démission à David. Une couverture pour un numéro spécial intitulé "Vies privées", que David avait hérité de Tina, devait sortir : je lui proposai que ce soit la dernière. Je savais que David, par tempérament plus conservateur que moi, s'était opposé à ma couverture Clinton et, en 1993, à celle de la Saint-Valentin. (Paradoxalement, il avait soutenu ma première couverture de Pâques, jusqu'à ce que les manifestants commencent à s'assembler devant nos locaux.) Je dis à David que mon nom était tellement associé à la période Tina Brown que si j'arrivais, moi, à la direction, je ne ferais rien pour me retenir... David, qui a toujours eu plus que moi l'esprit d'équipe, parut sincèrement atterré et il m'assura qu'il avait besoin de moi et qu'il voulait que je reste. Tout s'annonça bien... pendant douze heures environ.

Ce soir-là, David appela Françoise à la maison pour qu'elle lui propose d'autres idées pour la couverture de "Vies privées". Le lendemain matin, Françoise laissa là son mari, totalement apoplectique, pour essayer de remplacer ou de sauver le dessin, un pastiche de Magritte qui, bien que frappant, n'avait rien qui puisse prêter à controverse en couverture d'un numéro plutôt informe. Mais David pensait que le fond noir était trop sombre et déprimant. Françoise lui fit voir quelques variantes, après quoi David céda, m'envoyant une généreuse lettre d'excuses et des fleurs. J'offris les fleurs à Françoise et j'envoyai à David la lettre suivante (extraits) :

"J'emploie pour ces couvertures de 'numéros spéciaux' [...] la partie de mon cerveau qui me permettrait de faire mon beurre dans le monde de la pub si mon compas moral n'avait pas de nord. Mais [...] je tiens sincèrement ce genre de travail pour de l''art appliqué', et ces couvertures devraient passer comme une lettre à la poste auprès d'un rédacteur en chef qui n'est pas soumis à une pression surhumaine (ou est-ce un oxymore ?). Je crois que 'Vies privées' a servi de paratonnerre contre toutes les angoisses qui vous sont tombées dessus avec votre nomination. [...] Mon propre démon, mon angoisse, c'est de trouver une situation qui m'encourage à aller plus loin et [...] à prendre, en tant qu'auteur de couvertures, quelques risques dans un contexte qui y soit propice. Sinon, le jeu n'en vaut pas la chandelle. Je ne demande pas la permission de dessiner sans fin des lapins de Pâques crucifiés [...] mais seul un *New Yorker* qui prenne quelques risques visuels (stylistiquement et conceptuellement) a une chance de survivre, et de me fournir un toit sous lequel j'aie envie de vivre. [...] Je sais que demander à un homme de mots de se fier à des images est beaucoup demander... mais j'ai de l'espoir, pour vous comme pour moi..."

Tout s'annonçait bien – enfin...

Ci-dessus : variantes de "Vies privées". Page de droite : "Vies privées", couverture des 21 & 31/08/98.

Lorsque le 11 septembre 1998 la vie sexuelle de Clinton fut rendue publique dans le rapport manifestement partisan de Kenneth Starr au Congrès, je ne résistai pas à l'envie de présenter une esquisse de couverture intitulée "Les dernières volontés de Clinton". Je n'y croyais guère, mais, après avoir lu tant de fois, ce jour-là, l'expression "oral sex" dans les pages du sévère *New York Times*, je me dis que mon chaste dessin avait au moins une petite chance de passer. Hélas. Il ne sortit qu'à la "une" du magazine en ligne, *Salon*.

En janvier, notre magazine n'avait toujours pas sorti de couverture pertinente sur le scandale qui déchirait la nation. Quand le gouvernement bloqua ses partisanes et hypocrites auditions d'*impeachment*, je présentai, en désespoir de cause, une esquisse qui montrait la Justice portant sur le visage tout un attirail sadomasochiste. Je fus atterré que David la refuse et complètement affligé par cette occasion manquée, la semaine où un Larry Flint, éditeur du magazine quasi pornographique *Hustler*, raflait la une en menaçant de révéler les liaisons extraconjugales de divers sénateurs républicains ! De toutes mes couvertures perdues, c'est, aujourd'hui encore, celle que je regrette le plus.

Énervé, je me contentai donc de dessiner pour un autre numéro spécial, "Fiction d'hiver", une fille en petite tenue et... un bonhomme de neige.

En haut : "Les dernières volontés de Clinton", esquisse refusée, 16/09/98.
À gauche : "Bizarre, bizarre, cette Justice", esquisse refusée, 08/01/99.
Page de droite : "Fiction d'hiver", couverture des 28/12/98 & 04/01/99.

Apparemment, David voulait que ses couvertures retrouvent le rôle qu'elles avaient tenu avant l'ère Tina : être de plaisantes façons de dire "Bonne journée !" au lecteur, et je rassemblais tout mon courage pour filer doux... Puis, le jeudi 25 février 1999 vers minuit, ma conversation sur l'oreiller avec Françoise s'orienta une fois de plus vers le magazine. Si David souhaitait, comme il l'avait annoncé en prenant la succession, que le *New Yorker* parle davantage de la vie de New York, pourquoi ne sortait-il pas quelque chose de fort sur le nombre croissant de cas de brutalité policière qui constituaient la face sombre de la croisade anticriminelle de notre maire ? Amadou Diallo, immigré originaire de l'Afrique de l'Ouest, venait d'être abattu de 41 coups de feu par quatre policiers alors que, non armé, il voulait prendre sa clé dans sa poche, devant son appartement du Bronx. Les quatre hommes continuaient à patrouiller normalement, et les minorités de New York se sentaient terrorisées par la "Street Crime Unit", très largement de race blanche.

Françoise, logique, me demanda pourquoi je n'avais pas proposé quelque chose sur le sujet. Je saisis une enveloppe à côté du lit et griffonnai une idée. Françoise se leva et appela David Remnick, qui, groggy, approuva un fax de mon croqueton et se recoucha, pendant que je titubais jusqu'à mon atelier pour terminer mon dessin. Le numéro devait être imprimé le lendemain.

Lorsque la couverture sortit, quel tollé ! Le *New York Post* me traita de "sale type" et cracha que si, un jour, j'avais un besoin urgent d'être secouru, il me faudrait demander de l'aide au révérend Al Sharpton, peu scrupuleux activiste noir, plutôt qu'à la police. Cent cinquante policiers armés s'assemblèrent en dehors de leurs heures de service devant les portes du magazine pour protester contre le fait d'avoir été représentés comme des brutes. Je défendis mon dessin en expliquant que c'était "une image d'une image", celle du flic de quartier, sympathique et secourable, rendu populaire par les films et les bandes dessinées d'antan, que de trop réelles violences policières avaient déformée. J'espérais que l'indignation contre ma couverture serait réorientée vers un dialogue sur le problème qui avait inspiré celle-ci... et que personne n'essaierait de descendre celui qui avait fait passer le message.

Je regardais le journal télévisé dans mon atelier avec mes enfants le jour où la couverture arriva dans les kiosques. Nous vîmes le chef de la police me condamner publiquement, suivi du gouverneur qui se dit "déçu" par le magazine, et de Giuliani, le maire, qui, indigné, déclara qu'il était "écœuré". Mon fils de sept ans demanda si l'on pouvait passer sur Cartoon Network, mais ma fille de dix se tourna vers moi et, la prunelle brillante, me dit : "Oh, Papa, je suis fière de toi !" Je compris pourquoi j'avais fait ce métier.

En représentant les cibles du stand de tir en ombres chinoises, je les avais en quelque sorte sorties de leur contexte, et elles devinrent le symbole de tous les New-Yorkais, cibles potentielles. Des épinglettes réalisées à partir de ma couverture se vendirent dans les manifestations quotidiennes devant le Q.G. de la police de Manhattan, au cours desquelles une myriade de célébrités se laissa arrêter. La tribune très en vue qu'était le *New Yorker* avait contribué à donner à un dramatique fait divers local un retentissement international. (Malheureusement, la loi des conséquences involontaires eut un effet pervers : une cour d'appel invoqua ma couverture comme preuve que les quatre policiers ne seraient pas jugés équitablement à New York, et l'affaire fut renvoyée devant un tribunal d'Albany, qui, beaucoup plus conservateur, acquitta les quatre hommes.)

À droite : "10 cents les 41 coups", couverture du 08/03/99.

Avant même de devenir rédacteur en chef, David avait manifesté de l'enthousiasme pour ce que j'écrivais sur la bande dessinée, et, dès qu'il fut monté sur le trône, il me suggéra de lui en écrire davantage. Je me sentis à la fois flatté et, bien conscient de la réputation du magazine pour sa qualité d'écriture, assez intimidé. J'étais depuis longtemps fasciné par Jack Cole (1914-1958), connu dans les années 1940 pour son superhéros loufoque et protéiforme, Plastic Man. J'écrivis :

"*Plastic Man* personnifie littéralement le genre de la bande dessinée : énergie exubérante, flexibilité, juvénilité, sexualité incomplètement sublimée... On ne l'a jamais souligné (l'idée d'une version 'hard' de *Plastic Man* laisse rêveur), mais il y a quelque chose du pervers polymorphe chez ce personnage, qui incarnait l'idée de Georges Bataille : un corps dont les limites sont sur le point de se dissoudre. Cole ne se 'retenait' plus tandis que *Plastic Man* ondulait d'un dessin à l'autre, passant parfois de l'homme à la femme, mutant du dur et du tendu à un mou digne d'une montre de Dali."

Dans les années 1950, Cole entama une seconde carrière en devenant l'illustrateur d'origine de *Playboy* – son Peter Arno. Puis, après avoir réalisé le rêve de toute sa vie, vendre une B.D. à un journal par l'intermédiaire d'un syndicat de distribution, il se tira mystérieusement une balle dans la tête.

Après avoir parlé à ses anciens confrères, avoir exhumé le mot qu'il avait laissé avant son suicide et le rapport d'enquête, je concluais :

"À mesure que, se hissant hors de l'humus primaire des histoires illustrées, il gravissait l'échelle du succès, il arriva à un air trop raréfié pour lui permettre de respirer : Jack Cole, génie de la B.D., est mort de devenir adulte."

Je passai des mois à faire des recherches et à polir mon essai de 30 feuillets avant de le remettre à David, qui m'affirma qu'il était original et drôle, et qu'il n'avait besoin que de légères retouches, dont il se chargerait lui-même. Je dois avouer que je suis aussi insupportable quant aux intrusions éditoriales dans ma prose que je le suis habituellement quant à mon œuvre graphique. Après les "légères retouches", je répondis, cassant, que l'on n'avait rien retouché, sauf l'humour et l'originalité... David, circonspect, confia mon texte à quelqu'un d'autre.

Quelques jours après, je croisai Calvin Trillin dans l'escalier. Il avait la mine assez défaite. Je demandai à l'humoriste chevronné s'il bouclait, lui aussi, un papier. Il fit oui de la tête et murmura : "La mort par mille coupures !" En bas de l'escalier, il se retourna vers moi et ajouta : "Il y a une chose que j'ai apprise des communistes... Soyez toujours le dernier à quitter une réunion !" Je pris son conseil à la lettre et campai littéralement jour et nuit dans les bureaux pour tenter de rétablir chaque virgule et chaque adjectif supprimés, ruant dans les brancards avec mauvaise grâce à chaque vérification grammaticale, stylistique et factuelle.

En dépit de mon sale caractère, David eut la générosité de me proposer de faire la couverture. J'y montrai *Plastic Man* visitant l'exposition du moment au musée Guggenheim, confrontation entre les arts supérieurs et inférieurs. Au fil des décennies, le magazine a *beaucoup* rendu hommage à Picasso, qui, somme toute, était presque aussi bon dessinateur humoristique que Jack Cole.

art spiegelman

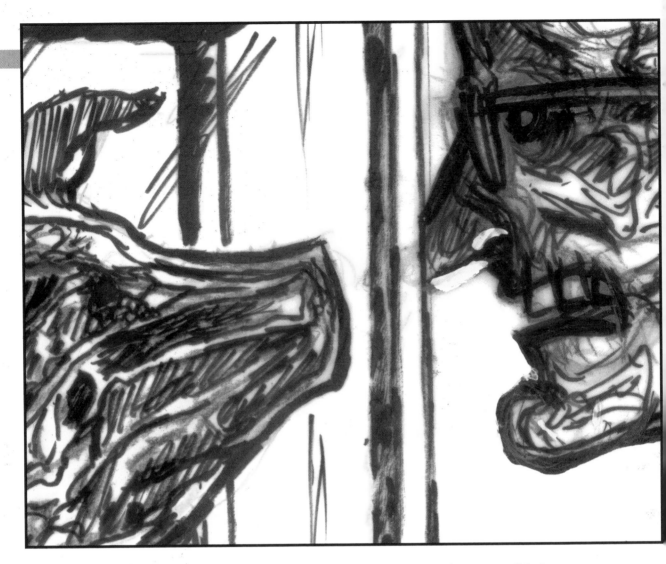

Le penchant de mon rédacteur en chef pour un magazine d'humeur plus égale me relégua plus ou moins sur le banc de touche pendant une bonne partie de 1999. Je fis une esquisse pour un spécial "Fictions d'écrivains de moins de 40 ans". Mais, j'ai oublié pourquoi, mon dessin ne fut terminé que pour un numéro identique, deux ans après (voir page suivante). Les couvertures permettant de m'engager dans un vrai dialogue culturel restaient hors de ma portée. Dieu merci, l'autoritaire maire de New York, Rudolph Giuliani, finit par susciter une indignation suffisamment générale pour que je sorte de ma cage, lorsque, en octobre, il s'opposa à une exposition intitulée "Sensation", qui allait s'ouvrir au musée de Brooklyn. Elle devait présenter une Madone peinte par Chris Ofili à la bouse d'éléphant, un porc coupé en deux par le plasticien Damien Hirst, et autres spécimens passablement grossiers d'art "controversé". Mordant à l'hameçon sans même avoir vu l'exposition, l'autocrate Giuliani menaça de couper les fonds municipaux alloués à ce musée et aux autres institutions de la ville qui oseraient exposer des œuvres repoussantes. Déjà aussi vigilant quant à la sécurité de la ville qu'il allait se montrer après le 11 septembre 2001, il tenta même de créer une commission municipale du Bon Goût pour décider quelles œuvres d'art les New-Yorkais pourraient voir sans danger. Je songeai à essayer de convaincre le magazine de publier une couverture peinte à la bouse d'éléphant, mais, plus pragmatique, je me contentai de dessiner un maire au crâne scié en deux : un maire à l'esprit… ouvert.

Ci-dessus : détail d'une esquisse préparatoire, taille réelle. Page de droite : "Un maire à l'esprit ouvert", couverture du 11/10/99. Pages suivantes : "Parc d'écriture", couverture des 18 & 21/06/2001, et "Tel qui entre lion…", couverture du 06/03/2000.

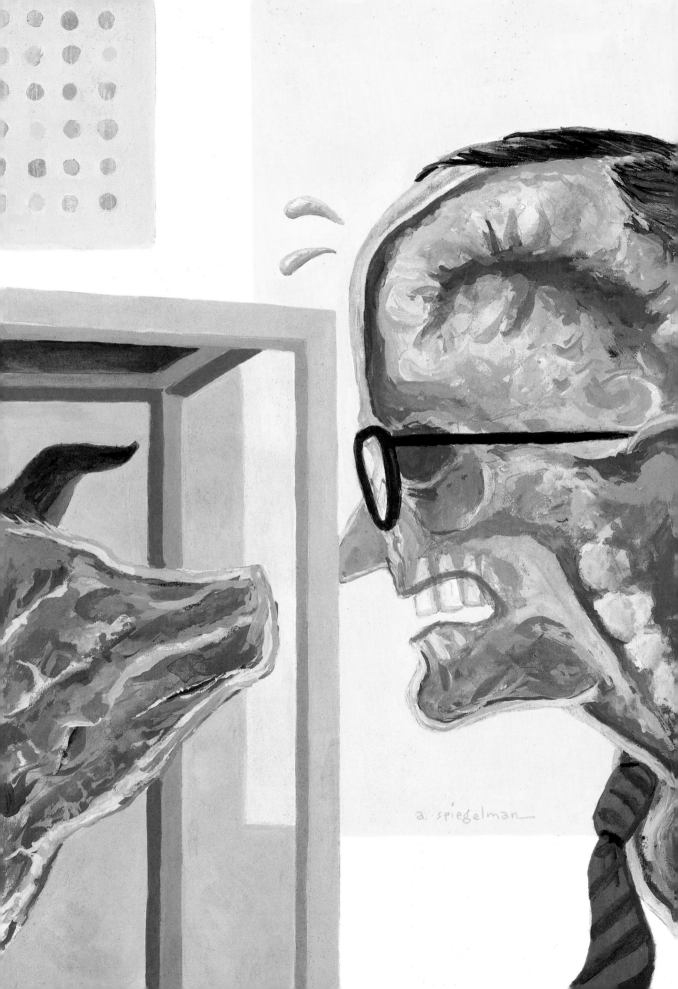

art spiegelman

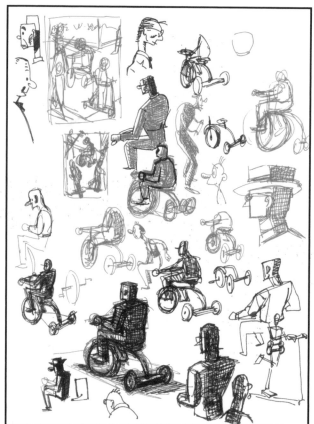

En 2000, je décidai de frapper un grand coup en parlant… du temps qu'il fait. Vous le savez peut-être, on dit souvent que le mois de mars entre en rugissant comme un lion, mais sort en bêlant comme un mouton.

Puis, cherchant dans le spectacle du quotidien des sujets de couvertures contemporaines, j'ai littéralement trébuché sur une de ces patinettes que tout le monde, grand-maman y compris, s'est mis à utiliser. La façon dont on a fait croire à des adultes que des trottinettes pouvaient être d'utiles moyens de transport m'a paru suffisamment risible pour que germe une idée. L'omniprésence subite de ces engins, et leur disparition tout aussi subite, illustraient parfaitement *The Tipping Point* ("Le point critique"), essai publié quelques années plus tôt par Malcolm Gladwell, chroniqueur au *New Yorker*, sur les phénomènes de mode.

En haut à gauche : esquisse sur ordinateur, "Tout le monde y compris grand-maman". Ci-dessus à gauche : croquis.
Ci-dessus à droite : esquisse sur ordinateur, "Le point critique (Grand-mère descendant un escalier)".
Page de droite : "La roue réinventée", couverture du 24/07/2000.

J uif non pratiquant, je n'ai, dois-je dire, jamais pu me faire à l'idée de célébrer Noël. À la fin de l'année, j'offris au magazine une Nativité que je couvais depuis des mois en réponse aux tentatives de plus en plus vigoureuses des chrétiens "créationnistes" pour empêcher que l'on enseigne l'évolution au lycée. David eut la sagesse de refuser une couverture qui ne pouvait qu'irriter les annonceurs de la période des fêtes, sans parler des lecteurs croyants. Pour le remercier de l'avoir néanmoins publiée à l'intérieur du magazine (où elle suscita malgré tout des sacs de lettres passablement violentes pour de pacifiques chrétiens), je fis, l'année suivante, une couverture œcuménique, inoffensive et bien gentille.

À gauche : esquisse de couverture refusée, "Le Noël du millénaire".
Ci-dessus : "L'évolution de Noël", rubrique "Carnet de croquis" du New Yorker, 20/12/99.
Page de droite : "Veillée de Hanoukka", couverture du 18/12/2000.

The United Blue Zone of America   The United Red Zone of America

Lors de l'"élection" présidentielle de 2000, les journaux publièrent des cartes détaillées du corps électoral américain, divisé en deux parts égales : toutes les circonscriptions étaient bleues ou rouges, selon qu'elles votaient Démocrate ou Républicain. Ce fut une révélation : je n'avais quasiment jamais mis les pieds dans la zone rouge, et quand je m'étais rendu dans des États républicains, je n'avais vu que l'unique ville universitaire "bleue" de la région. Défiant les lois de la physique, deux nations différentes occupent le même espace.

Le coup d'État de 2000 a été un désastre pour le monde entier ; j'ai pris la chose très à cœur. Mais, stupéfait, j'ai constaté que d'aucuns, y compris mon rédacteur en chef, se contentaient d'un simple "Les affaires continuent." David publia quelques-unes des pages que je me mis à lui envoyer comme un maniaque au sujet de George W. Bush, mais il aurait vraiment préféré que je m'intéresse, disons, au golf… Une de ces pages, inspirée de la comptine *L'homme qui n'était pas là*, ne dépassait pas le niveau du cri de chagrin et

Zone bleue unie d'Amérique. Zone rouge unie d'Amérique.
Ci-dessus : "Sous deux bannières", 25/12/2000 & 01/01/2001.

EMERGENCY SESSION OF
**THE UNITED CARTOON
WORKERS OF AMERICA**

"President"
par Oliphant

"President"
par Peters

"President"
par Stahler

de répulsion envers Bush. Elle suscita la réaction d'amis inquiets, qui trouvaient que je commençais à dérailler. (C'était vrai.)

Je n'ai jamais voulu faire de B.D. "politique" dans la presse. D'une part, elle vieillit mal ; d'autre part, le portrait est un art difficile. Les personnages publics ne deviennent faciles à dessiner qu'une fois que les rares caricaturistes de talent ont mâché le travail aux tâcherons tel que moi. J'imaginai une réunion de l'Union des dessinateurs américains et le discours de son président :

Il faut retrousser nos manches et trouver les repères permettant d'établir une caricature immédiatement reconnaissable… Ce mois de fiasco en Floride nous laisse dans une véritable crise de la représentation. Nous voici quasiment au jour de l'investiture, et nous n'avons pas encore mis au point une façon de représenter notre nouvelle… euh… Nullité-en-chef… Vous êtes plusieurs à dessiner George W. comme Alfred E. Neuman. Si la comparaison se justifie d'un point de

vue intellectuel et physique, elle risque d'endormir les lecteurs en leur donnant un sentiment trompeur de sécurité et de supériorité… Si vous optez pour Neuman, il faut toujours remplacer sa formule "M'en faire, moi ?" par un péremptoire "Il y a de quoi s'en faire !", afin de rappeler aux lecteurs qui sont les vrais idiots… L'idée la plus pratique pourrait être de laisser un blanc à la place du dessin du "Président". Paresseux et légèrement risqué, mais ça doit passer. Car enfin, le pays vient de montrer que, s'il n'a pas le choix, il est prêt à avaler n'importe quoi.

Et le reste à l'avenant… Mais tout cela a mal vieilli. Comme beaucoup d'autres, j'ai "mé-sous-estimé" les dégâts que pouvaient faire Bush et sa clique, et je ne m'en suis pas *assez* fait !

**En haut à droite : "Union des dessinateurs américains", 22/01/2001.
En bas à droite : détail de "L'homme qui n'était pas là", 05/03/2001.**

Dès avant l'"élection", le tout-puissant dollar avait commencé à se fissurer, même si l'optimisme exubérant de Clinton et son talent pour nier la réalité avaient freiné l'effondrement immédiat de l'économie après l'éclatement de la bulle Internet. La bande de rapaces qui prit alors les rênes du pouvoir dirigea aussitôt le navire de l'État vers un monde édénique, une ploutocratie antérieure à l'invention de l'impôt sur le revenu et à la montée de la classe moyenne.

Le numéro spécial "Argent" de 2001 sortait dans un contexte économique bien moins souriant que les numéros spéciaux – insouciants – des années précédentes. Pourtant, mon premier projet (un investisseur foudroyé par une courbe du marché en chute libre) parut trop sinistre à mon rédacteur en chef. Le dessin n'était que prématuré : l'investisseur de la classe moyenne avait été condamné à mort, mais pas encore exécuté... Cette première proposition semblait tout droit sortie d'un magazine de gauche des années 1930, et la seconde, "Le sol est-il en train de s'ouvrir sous nos pieds, chéri ?", rendait mieux le ton d'angoisse sophistiquée du *New Yorker*.

La fissure en forme de dollar était devenue un gouffre béant au moment du numéro spécial "Argent" de 2002. Mais, une nouvelle fois, mon projet ne sembla pas correspondre à l'esprit du magazine. Je pensais que la guerre contre les Forces du mal en Afghanistan était autant motivée par une soif insatiable de pétrole que par notre besoin de frapper un Al Qaida se riant des frontières, ou de libérer l'Afghanistan du régime que nous avions naguère mis au pouvoir. David fut troublé par la violence de mon dessin et demanda à sa directrice artistique : "C'est un numéro sur l'argent. Pourquoi me propose-t-il une couverture sur le pétrole ?"

The Nation hérita de celle-ci.

En haut : "Krach !", esquisse de couverture refusée, 2001.
Ci-dessus : "Roll up your Sleeves, America !" (Retrousse tes manches, Amérique !), couverture refusée, parue dans *The Nation,* 15/04/2002.
Page de droite : "Le sol est-il en train de s'ouvrir sous nos pieds, chéri ?", couverture des 23 & 30/04/2001.

Le 11 septembre a tout changé : tant pis si le gouvernement l'a dit aussi. Ce que j'ai vécu ce matin-là a laissé dans ma tête un trou au moins aussi énorme que celui du bas de Manhattan. Commotionné, je suis parvenu à faire une couverture pour le numéro du magazine qui devait sortir six jours après : la silhouette noire des tours fantômes sur fond noir. Il serait plus exact de dire que cette couverture m'a traversé. Françoise, miracle de grâce au milieu des difficultés, l'a fait sortir de moi alors que je m'acharnais sur une autre idée, moins forte. Elle a également eu l'idée décisive de superposer l'antenne aux lettres du titre, afin que les lecteurs voient bien qu'il ne s'agissait pas simplement d'une couverture toute noire. Greg Captain, directeur de la fabrication, a contribué à mettre au point la meilleure façon de l'imprimer et, dans une atmosphère de fin du monde, il a fait quatorze heures de route pour vérifier qu'elle sortirait bien. La couverture a frappé juste et déclenché un raz de marée de lettres de lecteurs du monde entier, reconnaissants. (Un grincheux a quand même écrit : "Spiegelman croit-il qu'il a *inventé*

le noir ?") En tout cas, j'ai eu l'honneur d'être traversé par cette couverture, qui contrebalance toutes les batailles que j'ai menées contre mes démons intérieurs et projetées sur le magazine pendant des années.

Mon texte sur la genèse – quelque peu différente de ce que Paul Auster écrit dans son aimable préface – de cette couverture a été rédigé pour le site Internet du magazine deux semaines après l'événement, puis développé un an après, dans un livre intitulé *110 STORIES : New York Writes after September 11* ("110 histoires : New York écrit dans l'après-11 septembre"), dont la couverture a repris une version achevée de mon premier projet.

LA COUVERTURE

De quel semblant de vie jouit un souvenir ? Mon 11 septembre s'estompe peu à peu, jusqu'à n'être plus que l'ombre de lui-même : quelques anecdotes répétées mécaniquement, une ou deux images très nettes. Citoyen de Lower Soho, à la lisière de Ground Zero, j'étais aux premières loges de la catastrophe, et mon point de vue est revenu plus

Ci-dessus : premier projet de couverture, abandonné, et reconstitution des étapes de ce projet.

lentement que pour d'autres à l'anesthésie de la nor-malité. N'était une timide voix intérieure, qui chante faux sur l'air des rappels de "mon" gouvernement à "Surtout ne pas se calmer", je pourrais peut-être ramener mon souvenir des tours à des proportions normales, à pas grand-chose de plus que l'événement médiatique le plus marquant de la saison passée.

Tous ceux qui, dans le monde, ont accès à un poste de télévision ont vu et revu la destruction cataclysmique des tours, jusqu'à ce que les flammes s'impriment dans notre inconscient collectif. Ce qui a ralenti mes réflexes d'amnésie est de l'avoir vécu sans passer par la télévision.

Ces tours étaient nos voisines, banale carte postale visible en permanence à moins de deux kilomètres du pas de notre porte. Au matin du 11 septembre, mon épouse, Françoise Mouly, et moi venions de partir voter aux primaires municipales. Pendant que nous remontions vers le nord, nous avons entendu le grondement de l'avion au-dessus de nous, puis le choc. L'expression atterrée d'une jeune femme qui descendait vers le sud nous a convaincus que ce devait être quelque chose de plus grave qu'un semi-remorque rebondissant sur les nids-de-poule de

Canal Street et que ça valait peut-être la peine que nous nous retournions. Au début, difficile d'évaluer l'échelle de la catastrophe. Comme beaucoup l'ont dit, tout avait l'air "surréaliste" – et nous avons dû surmonter notre détachement abasourdi pour comprendre que nous n'étions pas dans un film et que notre fille de quatorze ans, Nadja, se trouvait au cœur de ce tumulte grandissant.

Nadja est en première année à la Stuyvesant High School, juste sous les tours. Une demi-heure après la première collision, nous entrions dans l'école. Il a fallu plus d'une heure pour trouver notre fille parmi les trois mille élèves désorientés du bâtiment de neuf étages. Les parents de certains camarades de Nadja travaillaient dans les tours ; des enfants avaient vu des corps tomber en chute libre devant les fenêtres de leur classe. C'est alors que le bâtiment a tremblé et que les lumières se sont éteintes quelques instants : la tour sud s'écroulait. Nous sommes ressortis avec Nadja quelques minutes avant l'évacuation de l'école et nous avons suivi l'Hudson. Nous retournant, nous avons vu la tour nord vaciller. Elle semblait s'être consumée de l'intérieur ; ne restait qu'une coquille qui miroitait, en suspens dans le ciel, avant de s'écrouler, très lentement, sur elle-même.

Françoise n'arrêtait pas de crier "Non ! Non ! Non !" et Nadja s'est exclamée "Mon école !", pendant que, bouche bée, je regardais fixement ce spectacle sans parvenir à y croire, jusqu'à ce que l'énorme nuage de fumée toxique roule vers nous.

Nous avons réfléchi à la manière d'aller chercher notre fils de dix ans, Dash, à son école des Nations Unies. Nous avons fait halte à la maison, le temps d'écouter quelques messages sur le répondeur, soulagés d'entendre la voix d'amis qui habitaient sous les tours et dont nous avions craint la mort. Il y avait aussi plusieurs messages du *New Yorker* demandant à Françoise de prendre contact avec eux : un nouveau numéro et une nouvelle couverture devaient être réalisés dans les trois jours. Surréaliste, ça aussi.

***

Chaque fois que je marchais vers le nord, dans les heures et les jours qui ont suivi, je me retournais, comme vers La Mecque, pour voir si mes deux tours manquaient toujours à l'appel. N'étant guère qualifié pour rechercher des survivants, je me suis appliqué à rechercher une représentation de la catastrophe. Malgré l'inanité apparente de la tâche, j'ai ainsi pu me concentrer sur quelque chose et repousser le traumatisme. Je voulais trouver l'image effroyable (et emplie d'effroi) de tout ce qui avait disparu ce matin-là.

J'ai tenté de juxtaposer la noirceur mortelle de l'événement et le ciel d'un bleu merveilleusement cristallin qui avait souligné le surréalisme de cette sinistre journée. J'ai dessiné les tours recouvertes d'un voile noir comme par un Christo en deuil. Elles flottaient sur fond de ciel serein, comme dans un Magritte, au-dessus du bas de Manhattan. Mais le surréalisme n'était pas de mise, et la clarté du ciel semblait une insulte obscène à la noirceur qui était au cœur de l'image. J'ai transposé mon dessin sur ordinateur, puis j'ai assombri progressivement le ciel et le paysage urbain, jusqu'à ce que mon écran soit quasiment noir. Ce n'est que quand mon image a disparu presque complètement qu'elle a reflété avec exactitude le vide nouveau et douloureux que, comme tant d'autres, j'avais besoin de voir représenté.

Les toiles noires sur noir d'Ad Reinhardt m'avaient apporté la solution.

Lorsque Françoise a vu les tours fantômes sur mon écran, elle a su bien avant moi que j'avais trouvé la couverture. Mon éthique professionnelle exigeait que j'y ajoute les immeubles situés autour du World Trade Center, mais, finalement, seule une approche archiminimale semblait ne pas être une insulte à ce sombre moment. Et les extraordinaires réactions suscitées par la couverture "noire" – qui ne révélait son secret qu'à condition de changer d'angle de vue et d'éclairage pour la regarder – ont montré que j'avais en quelque sorte réussi à canaliser l'atmosphère toxique qui m'entourait pour en tirer une représentation des tours qui aide les gens à faire le deuil de ce qu'ils avaient perdu. L'image rémanente des tours perdure et en impose la présence à travers le noir. Dans les mois de "normalité retrouvée" qui ont suivi, les opérations de déblaiement qui se poursuivent près de chez moi m'ont tout de même offert le luxe d'essayer de "déblayer" aussi mon premier dessin ; je l'ai gratté et, avec un peu de distance, ce ciel bleu paraît au moins un peu plus supportable.

Ci-dessus : *110 STORIES*, couverture du livre, NYU Press, 2002.
Page de droite : "Ground Zero", couverture du 24/09/2001.

THE
NEW YORKER

SEPT. 24, 2001

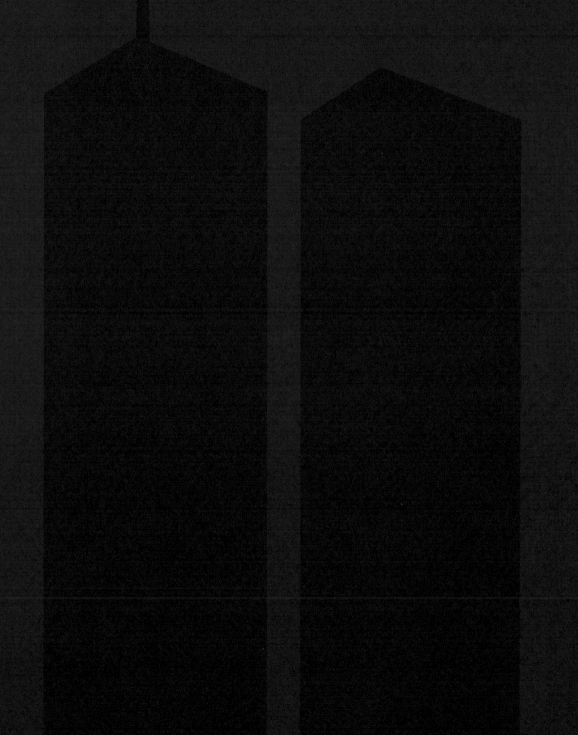

Le 10 septembre, j'allais mettre la dernière touche à la couverture d'un numéro spécial "Business de la culture". Cherchant comment croquer "Moolah", déesse de l'argent et "dixième muse" jusqu'alors inconnue, j'avais décidé d'imiter les vases grecs.

J'avais entrepris des recherches – trop – sur les muses et j'étais allé voir les collections d'art antique du Metropolitan Museum of Art pour faire quelques croquis. Mais j'avais de plus en plus de mal à me contenter de la routine alimentaire des couvertures. Moolah m'inspirait, je le crains, une trop grande part de ce que je produisais pour le *New Yorker*, et, irritable, je ne supportais plus la moindre intervention. (En l'occurrence, David me demanda de faire une Moolah moins décatie que sur mes premières esquisses.)

Lorsque, après le 11, je me remis à ma Muse, j'éprouvai une profonde reconnaissance à la voir sur ma table à dessin : elle offrait à mon cerveau surchauffé une activité apaisante qui l'empêche de divaguer.

En haut à gauche : dessin préparatoire, "La 10e muse".
À gauche : première esquisse, "La 10e muse".
Ci-dessus : esquisse sur ordinateur (détail), "Moolah".
Page de droite : "La 10e muse", couverture du 15/10/2001

Au lendemain du 11 septembre, une vague d'incidents déplaisants fit craindre aux Arabo-Américains des représailles racistes. Comme une grande rétrospective Norman Rockwell se tenait au musée Guggenheim et que Thanksgiving approchait, je dessinai, en guise d'appel à la tolérance, un pastiche de la célèbre couverture de Rockwell dans le *Saturday Evening Post* : dans la salle à manger où une famille arabo-américaine était réunie autour de la dinde et du couscous, une brique était lancée à travers la fenêtre.

Le magazine fut d'accord. Mais, pendant que je peignais ma couverture, j'entendis à la radio plusieurs Arabo-Américains imputer aux juifs les événements du 11 septembre. Ils prétendaient que seuls des Israéliens étaient suffisamment bons pilotes pour se jeter sur les tours et répandaient la rumeur mensongère selon laquelle aucun juif ne serait venu travailler au World Trade Center ce funeste matin-là. Je réfléchis un moment et je me dis : "Qu'ils aillent se faire foutre ! Ils n'ont qu'à se trouver des dessinateurs tout seuls !"

Entre-temps, les attaques antiarabes aux États-Unis s'étaient calmées, et la guerre battait son plein en Afghanistan. Après avoir écarté mon premier projet, je proposai donc une autre idée, encore plus d'actualité : "Opération Dinde Immuable".

Dans le cadre de l'"Opération Liberté immuable", en effet, la coalition lançait, en même temps que des bombes, des colis de nourriture, de couleur jaune, aux Afghans affamés. Pendant que je travaillais à ma nouvelle couverture, j'appris que, malheureusement, les bombes à fragmentation larguées sur les talibans étaient également jaunes... Pour remédier à cette funeste aberration, nous lancions des tracts dans l'espoir de dissiper tout risque de confusion :

"Attention, noble peuple afghan ! Comme vous le savez, les pays de la coalition vous envoient chaque jour des rations humanitaires. Elles sont enveloppées dans des sachets de plastique jaune, rectangulaires ou oblongs. La nourriture qu'ils contiennent est halal et très nutritive. Dans des zones éloignées de celles où ces sachets ont été largués, des bombes à fragmentation seront également lancées. Elles aussi sont de couleur jaune. Toutes ces bombes explosent en arrivant au sol, mais il peut arriver que quelques-unes n'explosent pas."

Quand la réalité dépasse à ce point la fiction, l'humble dessinateur a bien du mal à suivre ...

Ci-dessus : esquisse sur ordinateur de "Thanksgiving".
Page de droite : "Opération Liberté Immuable" (titre changé par le magazine), couverture du 26/11/2001.

En 2002, New York déblaya Ground Zero et commença à se demander quoi mettre à la place. Le magazine pria neuf artistes de lui soumettre des idées. Je proposai "110 tours d'un étage à la place de chacune des deux tours abattues, multipliées comme les balais dans *Fantasia…*" Des tours moins arrogantes, à échelle humaine.

Les monceaux de gravats de Ground Zero occupaient toujours un coin de ma tête, et les pensées de la plupart des New-yorkais de ma connaissance n'en étaient jamais très éloignées. Le *New Yorker*, lui, semblait réagir à la tension de l'après-11 septembre par la dénégation : tandis que le monde devenait plus dangereux, il opta plus que jamais pour une prudence digne du temps de Shawn. La secte de ses lecteurs se consolait en se baignant dans ce qui était, à mes yeux, une fontaine de sagesse par trop conventionnelle. Absolument certain que le ciel nous tombait sur la tête, je me sentais moins que jamais en harmonie avec la sensibilité du magazine.

Je réalisai mon avant-dernière couverture pour un numéro réunissant des textes de fiction ayant pour thème la famille. (Voir page 112.) J'y rendais hommage aux dessins de Peter Arno et de William Steig, qui, les premiers, m'avaient inspiré la fierté d'entrer dans la famille du *New Yorker*. Quant à

ma dernière couverture, elle donne une clé des raisons pour lesquelles j'étais devenu un membre tellement dysfonctionnel de ladite famille. À l'approche de la fête nationale, les New-Yorkais, même abrutis de calmants, commencèrent à trembler à l'idée d'une nouvelle attaque de grande envergure. J'envoyai à David un projet représentant une famille des faubourgs qui, autour d'un barbecue, admire le feu d'artifice sur l'horizon urbain – avec, au fond, un énorme nuage en forme de champignon. Aucune réaction… Je me fis l'effet d'avoir lâché un vent, et que le plus convenable était de faire comme si de rien n'était. Je repensai à ce que Robert Warshow avait écrit en 1947 : "*Le New Yorker* a toujours traité l'expérience vécue non en essayant de la comprendre, mais en prescrivant l'attitude à adopter envers elle…" J'adoucis mon projet en plaçant la description directe du pire cauchemar de New York à l'intérieur d'une bulle représentant les pensées d'un New-Yorkais qui a vraiment l'air de… s'en faire ! David donna son accord quelques heures après.

Ci-dessus : "110 tours d'un étage", numéro du 15/07/2002
À droite : esquisse sur ordinateur pour "Hantises de juillet".
Page de droite : "Hantises de juillet", couverture du 08/07/2002.

Les bâtards de l'Art et du Commerce trucident leurs parents et s'offrent une balade dominicale.

LE SUPPLÉMENT ILLUSTRÉ

J'ai réalisé singulièrement peu de bandes dessinées pendant les dix années où j'ai névrotiquement bataillé contre deux très différents rédacteurs en chef, bien qu'ils les aient toutes accueillies à bras ouverts et publiées quasiment sans intervenir. Étant donné que ce sont les dessins de *Maus* qui m'ont ouvert les portes du magazine, je ne comprends pas moi-même pourquoi je n'en ai pas produit davantage. Je pense que c'est en partie par pure paresse. Les bandes dessinées sont le travail le plus difficile et le plus laborieux que je sache faire : il est plus facile, plus lucratif et sans doute plus prestigieux de faire un dessin pour une couverture qu'un grand nombre de dessins pour une seule page, ou d'écrire un article sans devoir le condenser en une suite de petites cases augmentées de phylactères. Je me sentais assez embarrassé par le succès de *Maus* en entrant au magazine, et mal à l'aise à l'idée de faire de la B.D. pour des lecteurs cultivés. Tout ce que j'ai créé pour le magazine – couvertures, articles, illustrations, dessins humoristiques, bandes dessinées – a été taillé sur mesure. Autrement dit, j'ai essayé de calibrer mes besoins artistiques en fonction de ce que je pensais être ceux du magazine. D'un autre côté, je n'avais quasiment jamais eu à soumettre à un regard éditorial ce que j'avais dessiné depuis l'âge de douze ans, libre de ne chercher que la clarté d'expression. Le simple mot "soumettre" a des relents sadomasochistes qui me font frémir. Quoi qu'il en soit, mes deux rédacteurs en chef m'ont, au milieu de la bataille,

Ci-dessus : "La naissance de la B.D.," lithographie de 1990 (édition limitée), reproduite dans TNY, 26/12/94-02/01/95.

aidé à accoucher des quelques B.D. que, à mon corps défendant, je suis parvenu à leur… soumettre :

"Un juif à Rostock" (7 décembre 1992) est la toute première chose que j'aie faite pour *Le New Yorker*, juste avant qu'un contrat me soit signé. On m'a dit que c'était la première histoire illustrée jamais parue dans les pages de ce magazine jadis vénérable.

"Un génie *furshlugginer*" (29 mars 1993) faisait partie d'un ensemble d'hommages que j'ai contribué à organiser à la mort du créateur de *Mad*.

"On est tous dans la gadoue" est paru dans le numéro du 27 septembre 1993, avec une couverture signée de Maurice Sendak, le célèbre dessinateur pour enfants. Je pensais d'abord tirer une B.D. de l'entretien que j'avais réalisé avec cet homme assez reclus, puis j'ai eu l'idée de lui proposer d'y participer. Pour mon plus grand bonheur, il a accepté : en est ressorti un dialogue visuel aussi bien que verbal.

Je me suis intéressé au bibliothécaire âgé et un peu loufoque, responsable de l'étonnante collection d'images de la New York Public Library, qui semblait le seul à pouvoir localiser les images dont j'avais besoin. Exactement le genre de sujet que le *New Yorker* d'antan aurait trouvé idéal pour un portrait en prose, mais trop soporifique pour Tina si je ne l'avais pas proposé sous forme de bande dessinée. "Des mots qui valent cher" est paru dans le numéro du 20 au 27 février 1995.

"Au cinéma en famille" (4 septembre 2000) et le bref "L'inné et l'acquis" (8 septembre 1997) sont des contributions moins ambitieuses, des tableautins mineurs consacrés à l'importante tâche de parent.

(suite du texte p. 108)

UN JUIF À ROSTOCK

UN JUIF À ROSTOCK LE JOUR DE YOM KIPPOUR : DRÔLE D'IMPRESSION...

VISITE DE L'IMMEUBLE DES GI-
TANS RÉFUGIÉS, INCENDIÉ PAR
DES SKINHEADS EN AOÛT...

SOUS LES ACCLAMATIONS
DES MILLIERS D'HABITANTS
DES IMMEUBLES VOISINS...

FAISANT LE SALUT HITLÉRIEN :
"LES ÉTRANGERS DEHORS !
L'ALLEMAGNE AUX ALLEMANDS !"

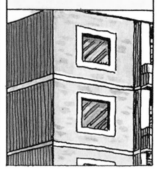

APRÈS 1945, ON AURAIT
PEUT-ÊTRE DÛ DONNER
L'ALLEMAGNE AUX JUIFS...

LES ALLEMANDS AURAIENT PU
S'INSTALLER EN PALESTINE.

DEUX ANS APRÈS LA RÉ-
UNIFICATION, LE CENTRE
DE ROSTOCK EST DEVENU
PITTORESQUE, JOLI ET RUPIN.

MAIS LES OUVRIERS VIVENT
DANS DES CLAPIERS SINISTRES
ET INHUMAINS QUI S'ÉTEN-
DENT SUR DES KILOMÈTRES.

POUR FAIRE OUBLIER SON PASSÉ
GÉNOCIDAIRE, L'ALLEMAGNE
AVAIT ACCUEILLI GÉNÉREUSE-
MENT LES DEMANDES D'ASILE.

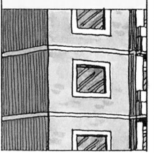

MAIS LES ALLEMANDS DE L'EST
NE S'IDENTIFIENT PAS AUX
NOUVEAUX DÉMUNIS DU
RESTE DE L'EX-EMPIRE.

UN CHÔMEUR LÉGÈREMENT
ÉMÉCHÉ NOUS A APERÇUS...

ON CONNAIT ROSTOCK PARTOUT
MAINTENANT. TRISTE, NON ?...

LES GITANS VIVAIENT AUSSI
DEHORS DANS LES BROUS-
SAILLES, SANS HYGIÈNE.
C'ÉTAIT UNE VRAIE PORCHERIE !

ON S'EST PLAINT, MAIS LE MAIRE
ACCEPTAIT ENCORE **PLUS**
DE GITANS. PERSONNE N'AIME
MARCHER DANS LA MERDE
POUR ALLER FAIRE SES COURSES.

JE ME RAPPELLE NOTRE COLÈRE,
DANS MON QUARTIER, À SOHO,
EN APPRENANT QU'IL ÉTAIT QUES-
TION D'UNE PÉNICHE-PRISON.

J'AI LU DANS LE "TIMES" QUE
L'ALLEMAGNE RENVOYAIT LES
GITANS EN ROUMANIE. MAIS
ÇA NE S'ARRÊTE PAS LÀ.

ELLE PAYE LA ROUMANIE POUR QU'ELLE REPRENNE LES RÉFU-
GIÉS ET AMÉLIORE LEURS CONDITIONS DE VIE. MAIS CEUX
QUI RESTENT ONT DROIT À GÎTE, COUVERT, ARGENT, ET PEU-
VENT FAIRE APPEL. ÇA N'ENCOURAGE PAS LES RETOURS.

CERTES, LES NAZIS ONT TUÉ
500 000 GITANS. DE QUOI
SUSCITER DE LÉGÈRES TEN-
SIONS ENTRE LES DEUX PAYS...

MAIS EN ALLEMAGNE, IL Y A DES VIOLENCES NÉONAZIES TOUS LES JOURS, ET PAS SEULEMENT DANS L'EST.

KOHL SEMBLAIT PEU INQUIET JUSQU'À CE QUE LES JAPONAIS MENACENT DE NE PLUS VENIR NI INVESTIR.

✓
✓

DE PASSAGE À MUNICH, J'AI DÎNÉ AVEC UN AMI AU RESTAURANT. IL M'A CONSEILLÉ DE NE PAS DRAMATISER.

✓

IL A CITÉ WILHELM BUSCH :

W. Busch

"UNE FOIS QUE SA RÉPUTATION EST EN L'AIR, ON SE TIRE DE PAS MAL D'AFFAIRES."

À LA TABLE VOISINE, QUELQU'UN A DIT AVEC UN FORT ACCENT :

ON N'A QU'À LUI DEMANDER COMMENT ZA ZE PASSE À NEW YORK.

JE ME SUIS IMAGINÉ QU'ILS VOULAIENT COMPARER LEUR RACISME AU NÔTRE...

QUOI, QUOI NEW YORK ?!

ON VA FAIRE UN ZÉJOUR LÀ-BAS EN DÉZEMBRE...

VOUS PENZEZ QU'ON TROUVE FAZILEMENT DES BILLETS BOUR LES COMÉDIES MUSICALES ?

LE JOUR DE LA RÉUNIFICATION, J'AI DÉFILÉ À FRANCFORT CONTRE LE RACISME AVEC PLUS DE 10 000 ALLEMANDS...

NOUS AVIONS PRESQUE TOUS ENTRE 30 ET 50 ANS – SAUF NOS BÉBÉS, EMMITOUFLÉS, DANS LEUR POUSSETTE.

LE MÊME JOUR, À STUTTGART, UNE BANDE DE NÉONAZIS A PROFANÉ UN CIMETIÈRE JUIF.

LES GOSSES NE CONNAISSENT PLUS LA CULPABILITÉ.

TU VEUX **VRAIMENT** TE RENDRE À ROSTOCK POUR YOM KIPPOUR ?

OUI, OUI.

EH BIEN, JE SAIS QUE TU N'ES PAS PRATIQUANT...

MAIS SI TU NE FAIS PAS LE JEÛNE, MANGE LÉGER, AU MOINS.

UN AUTRE AMI M'A DIT : "ICI, LA SITUATION EST DRAMATIQUE, MAIS PAS VRAIMENT GRAVE."

JE SUPPOSE QUE C'EST VRAI... MAIS IL N'Y A PAS DE FUMÉE SANS FEU.

© art spiegelman '92

LA PLUPART DES ÉTUDIANTS DE HARVEY À LA SCHOOL OF VISUAL ARTS NE SAVAIENT MÊME PAS QUE CELUI QU'ILS SURNOMMAIENT "PROF", CE TYPE GENTIL ET SIMPLE DONT ROGER PRICE AVAIT DIT UN JOUR QU'IL AVAIT L'AIR D'"UN BASSET TROP BIEN ÉLEVÉ POUR SIGNALER QU'ON LUI MARCHE SUR LA QUEUE", ÉTAIT EN RÉALITÉ...

A FURSHLUGGINER GENIUS !

ON ÉTAIT EN 1988. JE FIS VOIR AUX ÉLÈVES DE LA CLASSE LES STRUCTURES RIGOUREUSES ET LES RYTHMES DE JAZZ DE "HEY LOOK", À SES DÉBUTS, PUIS JE PARLAI DE **MAD**.

LES PREMIERS **MAD** ÉTAIENT EMPREINTS D'AUTO ANALYSE, ALLÈGREMENT VULGAIRES, ILS ÉTAIENT PLUS VIVANTS ET PLUS SUBVERSIVEMENT ANARCHISTES QUE PAR LA SUITE.

"MICHEY RODENT" A CHANGÉ MA VIE, RÉVÉLANT CE QU'AVAIT DE SINISTRE L'AMÉRIQUE DE DISNEY DES ANNÉES 1950, EN APPARENCE ASEPTISÉE.

MAD ÉTAIT UN COLLAGE TRASH URBAIN QUI DISAIT "MÉFIEZ-VOUS !" LES MÉDIAS VOUS **MENTENT**.. À COMMENCER PAR CE COMIC BOOK !

JE PENSE QUE LE **MAD** DE HARV' A EU PLUS D'INFLUENCE QUE LE HASH ET LE LSD SUR LA GÉNÉRATION OPPOSÉE À LA GUERRE DU VIÊTNAM.

HARV' N'A PAS CHANGÉ LA CULTURE SEULEMENT EN INVENTANT UNE SATIRE NOUVELLE. SES BD, AU PLUS FORT DU CONFLIT DE LA GUERRE DE CORÉE, LOIN DE LA PROPAGANDE CHAUVINE ET TRÈS DOCUMENTÉES, AVAIENT UNE GRANDE PORTÉE MORALE.

DIAPO SUIVANTE, S.V.P.

HUM, HUM... ERREUR DE DIAPO. "LITTLE ANNIE FANNY" VIENT PLUS TARD DANS LA CARRIÈRE MOUVEMENTÉE DE HARV'...

EN HUMANISTE, HARVEY PARLAIT DES SOUFFRANCES DE MÔMES QUI AVAIENT PEUR DU DRAME.

PAS DE SOLDATS MACHOS ET VIEUX. L'ENNEMI, C'ÉTAIT DES GENS COMME LES AUTRES, PAS DES DÉMONS.

J'ANALYSAI LA STRUCTURE DES RÉCITS VISUELS POUR MONTRER QUE HARV' AVAIT INVENTÉ UNE "GRAMMAIRE" FORMELLE, PRÉCISE, DE LA BD.

ET QU'IL AVAIT INNOVÉ DANS LES FORMATS ÉDITORIAUX. JE CONCLUS EN DISANT QU'EN TANT QUE RÉDACTEUR EN CHEF, IL AVAIT FAIT NAÎTRE BEAUCOUP D'AUTRES TALENTS.

CHAQUE VIGNETTE DE LA PAGE SE BASE SUR DES VERTICALES. EXAMINEZ LE RYTHME DE CES PLANCHES...

LES ÉTUDIANTS N'EN REVENAIENT PAS, L'ASSISTANTE DE HARVEY PLEURAIT. SEULE LA VOIX DOUCE ET FRÊLE DE HARVEY - QUE LA MALADIE DE PARKINSON RENDAIT TREMBLANTE - ROMPIT LE SILENCE.

OUAH, C'ÉTAIT FANTASTIQUE, ARTIE ! TU POURRAIS PAS REVENIR LA SEMAINE PROCHAINE ET NOUS REFAIRE LE MÊME COURS ?

APRÈS, HARVEY ÉTAIT ROUGE DE PLAISIR. IL ME SERRA LA MAIN AVEC EFFUSION.

TRÈS INSPIRÉ ! MÊME À **MOI**, TU M'AS DONNÉ ENVIE DE DESSINER. MERCI À TOI, ARTIE !

NON, HARVEY, MERCI À **TOI**. MERCI POUR TOUT !

J'AI AFFECTUEUSEMENT ÉCHANGÉ UNE LONGUE ACCOLADE AVEC MON GRAND MODÈLE...

ARTIE !... ARTIE !...

OH, HARVEY !

MON MENTOR ME MURMURAIT QUELQUE CHOSE QUE J'ENTENDAIS À PEINE :

ARTIE... LÂCHE-MOI, S'IL TE PLAÎT : T'ÉCRASES MES FOUTUES LUNETTES !

M'EN FAIRE, MOI ?

1924 - 1993

IN THE DUMPS

... JE N'AI PAS EU À REFAIRE LA MOINDRE IMAGE DE MON LIVRE. ÇA VENAIT VRAIMENT TOUT SEUL : *TADAM !* UNE CHAQUE SOIR, COMME QUAND J'AVAIS 12 ANS...

JE VOUS ENVIE ! MOI, JE DOIS D'ABORD FAIRE UNE VINGTAINE DE CROQUIS PAR VIGNETTE. ET J'AI PEUR QU'ON DÉCOUVRE MON RÉPUGNANT SECRET : **JE NE SAIS PAS DESSINER !**

Art Spiegelman rend visite à Maurice Sendak dans son idyllique propriété du Connecticut, où le célèbre illustrateur a récemment terminé un livre pour enfants sur les petits sans-logis qui vivent sur les tas d'ordures...

J'AI CONNU ÇA : *STURM UND DRANG* TOUTE MA VIE ! MES AMIS ME DISAIENT : "IL NE DESSINE PAS, IL CREUSE SA TOMBE !"

MAIS TOUT ÇA C'EST BIEN FINI ! 65 PIGES ET BIENTÔT LE GRAND SAUT : VIVE LE PRINCIPE DE PLAISIR !

C'EST À FORCE DE VOIR DES AMIS JEUNES MOURIR DU SIDA... À FORCE D'ÉTUDIER MELVILLE...

J'ILLUSTRE "PIERRE" SON LIVRE LE PLUS *MESHUGGAH*...

VOUS FAITES UN LIVRE POUR *ADULTES* ?

POUR ENFANTS OU POUR ADULTES... CE N'EST QUE DU MARKETING ! UN LIVRE, C'EST UN LIVRE !

D'ACCORD, MAIS QUAND DES PARENTS FONT LIRE "*MAUS*" À LEURS GOSSES, JE LEUR DIS : "BOURREAUX D'ENFANTS !"... LES MIENS...

... JE VEUX LES PROTÉGER !

NADJA, MA FILLE DE 6 ANS, A RÉPONDU UN JOUR : "EH BIEN MON PAPA, COMME MÉTIER, IL DESSINE DES SOURIS !"

ART, ON NE PEUT PAS PROTÉGER LES MÔMES... ILS SAVENT *TOUT* !

JE VOUS DONNE UN EXEMPLE : UN AMI PERD SA FEMME. AU CIMETIÈRE, SA FILLE LUI DIT : "REMARIE-TOI AVEC UNE TELLE !" IL A REGARDÉ LA PETITE COMME SI C'ÉTAIT UNE *SORCIÈRE* !

... MAIS ELLE EXPRIMAIT SEULEMENT LES EXIGENCES TERRE À TERRE ET QU'IL FAUT SATISFAIRE D'UNE FILLETTE NORMALE.

Au secours !

ON ME DIT : "MR SENDAK, JE VOU-DRAIS ÊTRE EN CONTACT, COM-ME VOUS, AVEC MON ENFANCE !"

COMME SI L'ENFANCE, C'ÉTAIT LES AVENTURES DE PETER PAN !

NON ! C'EST DES CANNIBALES, ET DES CINGLÉS QUI VOUS VOMISSENT DESSUS !

JE LEUR RÉPONDS : "MAIS VOUS ÊTES EN CONTACT : MÉCHANTS AVEC VOS PROCHES, MESQUINS, MENTEURS, ÉGOÏSTES...

LE VOILÀ, L'ENFANT EN VOUS !"

EN RÉALITÉ, L'ENFANCE EST RICHE, ES-SENTIELLE, MYSTÉRIEUSE, PROFONDE. J'AI UN TRÈS VIF SOUVENIR DE LA MIENNE...

JE SAVAIS DES CHOSES TER-RIBLES... MAIS IL NE FALLAIT PAS LE *DIRE* AUX ADULTES...

ÇA LEUR AURAIT FAIT PEUR.

Maurice Sendak

art spiegelman

Des mots qui valent cher

voir aussi : IMAGES, des archives uniques, et NEW YORK CITY, collection d'images de la bibliothèque publique.

Emmanuel Kant au coude à coude avec Wassily Kandinsky et Boris Karloff.

art spiegelman '95

Grâce à l'alchimie de l'ordre alphabétique, leurs images sont classées à P[ersonnalités] KAN KAT (1 de 3).

Douleur

Inventions

Animaux-loup

Yeux

Eitrige Augen-E der Neugebo

Dans les années 30, Romana Javitz, bibliothécaire visionnaire, reprit une petite collection commencée en 1915.

"Depuis Abaque jusqu'à Utopies, Yachts et Zoo"...

vers 1898 - 25.1.1980

"en passant par Huîtres, Meurtre, Nez…"

"la collection constitue une encyclopédie des connaissances visuelles."

SNIP!

Elle atteint à ce jour 4 867 653 images.

MARIAGE : "MARYLIN ET SAMUEL LEIBOVITZ, SILVER SPRING, MARYLAND, 1975." PHOTO D'ANNIE LEIBOVITZ, REPRODUITE AVEC SON AUTORISATION. ENTERREMENT : JOE ROSSI/SAINT PAUL PIONEER PRESS. ANIMAUX-LOUP : STEPHEN HOMER/FIRST LIGHT.

Enterrement

Vues de derrière

Équilibre

Mariage

Les artistes en sont les plus gros clients, mais l'armée y trouva de précieux renseignements lors de la guerre contre le Japon.

En 1982, la collection déménagea de la 42e Rue aux locaux fort spacieux de la Mid-Manhattan Library. Charles Addams déclara :

Ouvert à **tous**. Une carte de lecteur : jusqu'à 150 images pour 3 jours.

EFFRAYANT, COMME ENDROIT !

En vacances dans le Midi : petite maison à 1 km d'un village . ni téléphone ni télé, les plaisirs de la campagne : tout ce qui me fait regretter la ville... Mais, à 45 mn par la route : Montpellier.

UN FILM AMÉRICAIN ! ... EN ANGLAIS ! ALLONS-Y !

GLADIATOR ?! Pfff ! À NEW YORK, ON POURRAIT VOIR FOUS D'IRÈNE EN ANGLAIS !

ZUT ! ÇA NE VA PAS ÊTRE TROP VIOLENT POUR DASH ?

MAIS JE VEUX LE VOIR !

A FAMILY MOVIE

Alors...

IL Y AVAIT DU SANG, MAIS ÇA M'ÉTAIT ÉGAL QUE TOUS LES PERSONNAGES MEURENT.

PEUH ! LE RÉSUMÉ PARLAIT D'UN VOYAGE DANS LE TEMPS DE LA ROME ANTIQUE !

PLUTÔT UN VOYAGE DANS UN VIEUX CECIL B. DE MILLE, MAIS AVEC DES EFFETS SPÉCIAUX BIEN PLUS SANGLANTS !

EH ! MAIS C'ÉTAIT SUPER !

VOUS AVEZ VU QUAND TOUT LE SANG EST SORTI DU MASQUE DE FER DU MÉCHANT GLADIATEUR ?!

C'ÉTAIT BIEN MIEUX QU'"ASPARAGUS", LE FILM QU'ON A VU QUAND J'ÉTAIS PETIT !!

ASPARAGUS ?

TU SAIS, C'EST LE FILM OÙ ON CLOUE LES DEUX MAINS À UN TYPE, LÀ...

AH OUI : SPARTACUS !

À Paris, il y a deux ans (Dashiell en avait six), j'avais emmené les enfants voir Ben Hur.

AH, MERDE : ÇA PASSAIT HIER ... J'AI MAL LU LE PROGRAMME !

DANS SPARTACUS, IL Y A DES DES COURSES DE CHARS ET DES TYPES EN SANDALES : C'EST UN PEU PAREIL.

SPARTA

Il faut croire que je ne me rappelais pas bien SPARTACUS...

Moins imbibé de télé que ses copains, Dash avait vu Chaplin, Keaton, Tati et des dessins animés, mais pour Kubrick il était encore un peu tôt.

WAAAAH!!

CHUT !

CHUT !

TRÉSOR, TU VAS VOIR, TOUT SE TERMINE TRÈS BIEN !

MERDE!

De toute évidence, je ne me rappelais pas du tout *SPARTACUS*...

Kirk Douglas tue son meilleur ami, Tony Curtis, pour lui épargner une fin bien pire...

WAAAAAAAAAAAHH!!

la crucifixion !

Fuyant Rome, sa femme et son fils le voient une dernière fois.

MEURS ! JE T'EN PRIE !

THE END

Dash avait hurlé tout le long du film, et pendant des heures après !

JE SUIS SORTIE AVEC TOI AU MILIEU DU FILM, MAIS NOUS AVONS VU LA FIN HEUREUSE...

OUAIS, MAIS, PENDANT *GLADIATOR*, J'AI PAS PLEURÉ, HEIN, PAPA ?...

J'AI FERMÉ LES YEUX QUE QUAND LE GLADIATEUR ARRACHE LE TATOUAGE SUR SON BRAS - AÏE ! AÏE !...

...ET À UN MOMENT QUAND ILS FONT QUE S'EMBRASSER !

Dash a atteint l'âge de raison, il est prêt à s'asseoir dans le cirque de notre XXIe siècle !

art spiegelman

Nature vs. Nurture

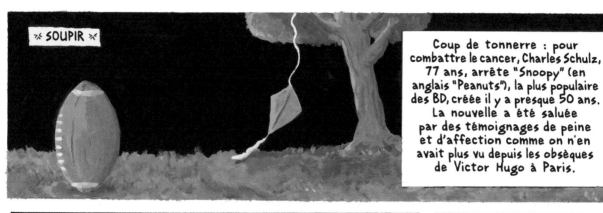

⚡ SOUPIR ⚡

Coup de tonnerre : pour combattre le cancer, Charles Schulz, 77 ans, arrête "Snoopy" (en anglais "Peanuts"), la plus populaire des BD, créée il y a presque 50 ans. La nouvelle a été saluée par des témoignages de peine et d'affection comme on n'en avait plus vu depuis les obsèques de Victor Hugo à Paris.

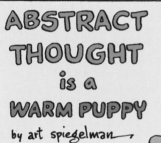

ABSTRACT THOUGHT is a WARM PUPPY

by art spiegelman

Comme ses quelques 355 millions de lecteurs, j'aimais "Snoopy" mais, je dois l'avouer, sans trop y faire attention.

Je n'aurais jamais pensé à le citer comme une influence graphique ou littéraire...

C'aurait un peu été comme de dire que les **RICE CRISPIES** m'avaient influencé !

Pourtant, quelle incroyable influence il a eu sur tout ce qui a suivi ! Car enfin, "Snoopy" parlait de "rien" bien avant la naissance de Jerry Seinfeld.

Souvent, "Snoopy" avait la simplicité, la profondeur et l'impact des haïkus... mais en plus facile à comprendre...

... et plus mignon.

?

OK ! TOUT LE MONDE DESCEND DE L'AVION !

Snoopy, le pivot d'un empire qui génère un milliard de dollars par an, pense rudement fort pour un chien de BD !

J'ai ressorti des albums afin de préparer ces planches : en moins de deux, mon fils de 8 ans était mordu.

LES GOSSES DE CES BD AGISSENT-ILS COMME DES VRAIS, DASH ?

PAS VRAI-MENT.

TU RESSEMBLES À L'UN D'ENTRE EUX ?... LINUS... OU CHARLIE BROWN ?

PAS VRAI-MENT.

SAUF LUCY... ELLE A L'AIR VRAI... ELLE EST **VACHE !**

J'ai inopinément reçu une aimable lettre de Charles Schulz m'invitant à aller le voir. Comme ça n'avait pas l'air d'être un canular, je me suis rendu en août dernier au 1, Snoopy Place à Santa Rosa, pour une conversation théologique.

COMMENT VOUS SITUEZ-VOUS PAR RAPPORT À CE DESSIN ?

EUH, AU FAIT D'ÊTRE JUIF ??

JE NE SUIS PAS PRATIQUANT COMME VOUS... MAIS JE M'IDENTIFIE À LA CULTURE DE LA DIASPORA PERSÉCUTÉE : KAFKA, FREUD...

CE QUE STALINE APPELAIT PÉJORATIVEMENT LE COSMOPOLITISME SANS RACINES... VOUS VOYEZ ?

NON, PAS VRAIMENT... MAIS J'ESSAIE !

MON DIEU !

POUR LE MEILLEUR OU POUR LE PIRE, LE...

SNOOPY

ANALYSE ESTHÉTIQUE 5¢

DE CHARLES (SPARKY) SCHULZ A TRANSFORMÉ LES BD D'APRÈS-GUERRE, AUTREFOIS DOMINÉES PAR LE BURLESQUE ET LE MÉLODRAME. S'ADAPTANT À LA DIMINUTION DE PLACE DANS LES JOURNAUX ET AUX NOUVELLES HABITUDES DE LECTURE, IL A CRÉÉ DE PETITES HISTOIRES QU'IL N'ÉTAIT PAS NÉCESSAIRE DE SUIVRE AU JOUR LE JOUR.

L'historien de la BD est LÀ.

SCHULZ AVAIT ÉTUDIÉ LES MEILLEURS DE SES PRÉDÉCESSEURS. "POPEYE" DE SEGAR (QU'IL QUALIFIAIT DE "BD PARFAITE") LUI APPRIT LES VERTUS D'UN RYTHME LENT ET DE PERSONNAGE EXTRÊMEMENT FOUILLÉS...

L'historien

"KRAZY KAT" LUI ENSEIGNA LES IMPLICATIONS DE VARIATIONS AUTOUR DE QUELQUES THÈMES DE BASE... ET, COMME "KK", NI MÂLE NI FEMELLE, LES GOSSES DE SCHULZ NE SONT NI ENFANTS NI ADULTES.

L'historien

UMBERTO ECO A DÉCRÉTÉ QUE "LES PERSONNAGES DE SCHULZ SONT LA MONSTRUEUSE RÉDUCTION ENFANTINE DE TOUTES LES NÉVROSES D'UN CITOYEN MODERNE DE LA CIVILISATION INDUSTRIELLE "!

CES MÔMES N'ONT RIEN DE CEUX DE "PIM, PAM, POUM"... ILS SONT PLUS PROCHES DU PHILOSOPHE DES TROTTOIRS DE PERCY CROSBY, SKIPPY, OU DU BARNABY AU GRAPHISME DÉPOUILLÉ DE CROCKETT JOHNSON.

L'historien de la BD est LÀ

DANS LES ANNÉES 50, LA LIGNE DE SCHULZ ÉTAIT SOUPLE ET SÛRE COMME LES CALLES D'UN PATINEUR...

ANALYSE ESTHÉTIQUE 5¢

L'historien de la BD est

1950, museum de Snoopy, (simulation)

MAIS DANS LES ANNÉES 1980, TREMBLANT DE PLUS EN PLUS, IL NE POUVAIT DESSINER ET TRACER SES LETTRES QU'À DEUX MAINS - L'UNE TENAIT L'AUTRE - MAIS IL CONTINUAIT À TOUT FAIRE SANS ASSISTANT !

L'historien

1990, museum de Snoopy, (simulation)

SA LIGNE NERVEUSE, SI APPROPRIÉE À SES THÈMES, ÉTAIT DUE À LA SEULE PUISSANCE DE SA VOLONTÉ... POIGNANT TÉMOIGNAGE - ET PREUVE *TANGIBLE* - DU DÉVOUEMENT À SON ART !

ESTHÉTIQUE 5

L'historien de la BD est LÀ

MALHEUREUSEMENT, SA MANIÈRE FAUSSEMENT SIMPLE A ÉTÉ BEAUCOUP IMITÉE, PAR DES GENS MOINS TALENTUEUX, QUI ONT PROVOQUÉ UNE TRISTE ÉROSION DU GENRE !

ANA ESTHÉT

L'historien de la BD est LÀ

CE N'EST PAS DE MA FAUTE !

SCHULZ AVAIT CRÉÉ DES ARCHÉTYPES MARQUANTS : CHARLIE BROWN ÉTAIT DEVENU M. TOUT-LE-MONDE...

LA BD RESPIRAIT L'INTÉGRITÉ, MAIS *POURQUOI* METTRE SNOOPY À TOUTES LES SAUCES, DU CALEÇON À LA POLICE D'ASSURANCE ?

LAS ! LA FONCTION *ORIGINELLE* DES BD ÉTAIT DE FAIRE VENDRE LES JOURNAUX, POURRAIT-ON RÉPONDRE !

ABSOLUMENT ! IL EST DÉRAISONNABLE D'ACCUSER UN MARCHAND DE SE VENDRE !

IL EST ENCORE TEMPS DE DONNER À SCHULZ LA MÉDAILLE D'OR DU CONGRÈS, MAIS TOUTE UNE VIE DE TRAVAIL NE LUI A MÊME PAS VALU LE PULITZER.

LE BONHEUR EST UN TOUTOU BIEN CHAUD !

... CERTES, IL A TOUJOURS ÉTÉ PHILOSOPHE PLUS QUE JOURNALISTE...

LA SÉCURITÉ C'EST UN POUCE ET UNE COUETTE !

"SNOOPY" PROPOSAIT TOUTE LA PHILO QUI PEUT TENIR SUR UN T-SHIRT.

JE NE CRAINS QU'UNE CHOSE À LA FOIS !

SOIT TOUTE LA PHILO QUE LA PLUPART DES GENS PEUVENT AVALER !

EXACT !

MOINS = PLUS !

COGITO ERGO SUM

Logiquement, parler avec Sparky, c'était un peu comme me retrouver dans un épisode de "Snoopy".

JEUNE, J'AI VU DES TOILES D'ANDREW WYETH... ÇA M'A DÉFINITIVEMENT ÔTÉ L'ENVIE DE MANIER LE PINCEAU !

MES TALENTS SONT TRÈS LIMITÉS.

... MAIS JE SAIS AU MOINS QUE JE LES AI UTILISÉS DU MIEUX QUE J'AI PU !

... VOUS SAVEZ, J'AI PARFOIS L'IMPRESSION QUE JE RAPETISSE TANDIS QUE L'UNIVERS NE CESSE DE GRANDIR !

J'AIMERAIS GAGNER BEAUCOUP D'ARGENT, MAIS PAS DEVENIR SNOB...

J'Y AI BEAUCOUP SONGÉ.

ET QU'AS-TU DÉCIDÉ ?

J'AI DÉCIDÉ D'ÊTRE RICHE ET CÉLÈBRE, MAIS TOUT EN RESTANT INSENSIBLE À L'ARGENT ET TRÈS HUMBLE. DE GAGNER BEAUCOUP D'ARGENT QUAND MÊME ET D'ÊTRE TRÈS CÉLÈBRE, MAIS TRÈS HUMBLE ET...

BONNE CHANCE

"Snoopy", 23 février 1963

Au début des années 1970, "Snoopy", pour moi, c'était les filles réacs et coincées. À la relecture, je constate, étonné, que ces dessins si populaires sont aussi très personnels, authentiques, et... Bons !

Des millions de lecteurs s'inquiètent de la santé de l'artiste comme s'il s'agissait de celle d'un proche parent.

Si l'amour qu'on porte à son travail le rendait immortel, l'artiste, comme son double, ne resterait jamais sur le... hum...

... carreau !

... COMMENT "SNOOPY" A-T-IL *PU* SI BIEN PARLER DE SOUFFRANCE ET DE DEUIL, ET RESTER SI CHALEUREUX ET DOUX ?!

※SOUPIR※

(suite de la page 91)

La bande dessinée la plus difficile, mais la plus gratifiante, que j'aie faite pour le magazine est sans doute "La pensée abstraite est un petit toutou bien chaud" (14 février 2000). À l'été 1999, j'ai rencontré le créateur de *Peanuts*, Charles Schulz, qui m'avait écrit pour me féliciter de mon dessin au sujet de *La vie est belle* de Roberto Benigni. Contre toute attente, j'ai été séduit par cet homme, par son humilité et sa dévotion à son art. J'ai songé à écrire quelque chose sur son œuvre, mais, lorsque son cancer l'a obligé à annoncer qu'il arrêtait, on a beaucoup publié sur lui et je me suis rabattu sur la B.D. Je l'ai appelé, à sa demande, juste après la publication ; il m'a déclaré que c'était ce qu'il préférait parmi ce qui avait paru sur *Peanuts*. Il est mort un peu plus tard le même jour.

"Le Fuyard" (30 octobre 2000) est une note critique dessinée sur le roman de Michael Chabon consacré à la B.D. (Prix Pulitzer.)

Les Extraordinaires Aventures de Kavalier & Clay, le nouveau roman – encensé – de Michael Chabon, raconte l'histoire de deux créateurs de l'âge d'or de la BD. Leur super-héros, qui s'inspire du golem, cette légendaire figure d'argile, et du personnage historique du juif Harry Houdini (né Erich Weiss), s'appelle...

THE ESCAPIS

QUELQUE PART DANS EMPIRE CITY... Un roman littéraire à l'âme de BD bande ses muscles pour affronter les spectres du vingtième siècle.

art spiegelman

QUELQUE PART dans cette œuvre ambitieuse, quoique un peu chargée, qui nous emmène de l'Antarctique à Levittown, la ville nouvelle, il y a une méditation profonde sur la BD qui lutte pour...

NOW PLAYING* AT A BOOKSHOP NEAR YOU!

Dan Clowes' DAVID BORING

S'ÉCHAPPER !

* En vente près de chez vous

COMME LA CONFECTION NEW-YORKAISE, L'INDUSTRIE NAISSANTE DE LA BD ÉTAIT JUIVE,

... CHABON FAIT D'AILLEURS DE CETTE MARGINALITÉ LE TERREAU DU GENRE...

Josef Kavalier est un jeune juif tchèque qui fuit Prague juste avant qu'elle soit écrasée sous la botte nazie.

Son gentil partenaire, Sammy Clay (né Klayman), se débat au fil de nombre des 636 pages du roman pour révéler sa vraie nature.

QUOI DE PLUS APPROPRIÉ POUR UN GENRE OÙ LES HOMMES PORTENT CAPES ET COLLANTS ?

LES ALLUSIONS SAVANTES À D'OBSCURS DESSINATEURS COMME BOB POWELL, LOU FINE ET MORT MESKIN ABONDENT.

DE TRÉPIDANTES APPARITIONS DE SALVADOR DALI...

ET D'ORSON WELLES...

Un jeune garçon achète même ses illustrés chez... Spiegelman !

aident à comprendre l'esthétique des débuts de la BD.

L'AUTEUR BANDE SES MUSCLES LEXICAUX, ALLIANT DE BAROQUES FIORITURES DE STYLE À UN TOURBILLON DE THÈMES QUI ME RAPPELLENT UN PEU L'ENCRAGE DU ALEX RAYMOND DES PREMIERS FLASH GORDON.

MÊME MOMENT

AMY CORRIGAN, DE CHRIS WARE, ARRIVE DANS TOUTES LES BONNES LIBRAIRIES.

Introvertie et d'une complexité joycienne, c'est une bande dessinée qui a l'âme d'un roman.

Élégants requiem pour un genre à l'agonie, ou signes annonciateurs de sa maturité ?

... SEUL LE SHADOW LE SAIT !

THE TOWER TWINS

UN BAISER POUR DIRE AU REVOIR AU *NEW YORKER*

J'imagine que ma muse s'appelle Désastre… Tandis qu'en 2002, désormais sous la menace de mort posée par le 11 septembre, la vie reprenait tant bien que mal son rythme quotidien, je me rendis compte que, paradoxalement, j'avais envie de revenir à la bande dessinée. L'attaque subie par mon quartier m'avait servi de *memento mori*. La vie est courte, et il me faudrait feindre d'être éternel si je comptais dessiner sérieusement des histoires sachant le temps fou qu'il me faut pour ça ! Si je ne le faisais pas maintenant, quand, alors ?

Le magazine que j'avais pendant si longtemps tenté de considérer comme ma maison était vraiment trop conservateur, tant sur le plan esthétique que politique, pour me permettre de faire le travail que j'avais en tête. C'est alors que, à point nommé, Michael Naumann, un ami devenu rédacteur en chef du *Zeit*, me proposa de réaliser pour lui une série d'histoires en couleurs et en grand format – et sans la moindre intervention éditoriale, si c'était ce que je voulais ! Cela ne se refuse pas… Cette série, "À l'ombre des feuilles mortes", devait être hebdomadaire, mais la dessiner une fois par mois accapare déjà tout mon temps.

Travailler à nouveau sans contraintes était grisant, et j'ai commencé à avoir du mal à me concentrer sur mon travail pour le *New Yorker*. Lors d'un agréable entretien avec David Remnick à la fin de 2002, je lui ai annoncé que je n'avais pas l'intention de renouveler mon contrat en 2003. Je lui ai dit mon état d'agitation, mon immersion dans ces nouvelles pages, mon besoin de me consacrer à une B.D. de longue haleine.

Une fois revenu de sa surprise, il m'a gentiment proposé de me réengager si ma situation venait à changer et m'a prié de continuer à lui montrer

Ci-dessus : Les jumeaux des deux tours, extrait de *"In the Shadow of no Towers"* n° 5, novembre 2002.
Page de droite : esquisse sur ordinateur, refusée, pour le numéro anniversaire, 02/1993.
Page suivante : "À leur image", couverture des 16 & 24/06/2002.

des choses en toute liberté, hors contrat. Je lui ai fait voir aussitôt une petite histoire que je prévoyais pour ma série "No Towers" : une parodie des Katzenjammer Kids d'autrefois, sous les traits des "Jumeaux des deux tours". Ceux-ci, en feu, cherchent secours auprès de leur Oncle Sinoque (l'Oncle Sam), mais celui-ci les arrose de pétrole,

qu'il appelle "Der Elixir von Gott", et retourne lire son journal pendant qu'ils crament.

Je ne peux pas dire que j'ai été étonné qu'il n'en veuille pas… Pour le moment, je ne compte pas lui montrer autre chose.

art spiegelman nyc. feb '03